APRÈS

STEPHEN KING

ROMAN

*Traduit de l'américain
par Marina Boraso*

Albin Michel

© Éditions Albin Michel, 2021
pour la traduction française

Édition originale américaine parue sous le titre :
LATER
Chez Scribner, an imprint of Simon & Schuster, Inc. à New York, en 2021
© Stephen King, 2021
Publié avec l'accord de l'auteur
c/o The Lotts Agency.
Tous droits réservés.

Pour Chris Lotts

« Demain n'est jamais sûr. »

Michael Landon

Commencer par des excuses, je ne peux pas dire que ça me plaise – je parie même qu'il existe une règle contre ça, tout comme on nous interdit de finir une phrase par une préposition. Seulement, voilà : je viens de relire mes trente premières pages, et j'estime que je vous les dois bien, ces excuses. À cause d'un certain mot que j'emploie à tout bout de champ, un mot de cinq lettres qui n'est pas celui auquel vous pensez (celui-là, je l'ai adopté tout petit, à force de l'entendre dans la bouche de ma mère). Non, le mot dont je vous parle ici, c'est APRÈS. Comme dans « après coup », « je me suis rendu compte après », ou « c'est seulement après que j'ai compris ceci ou cela… ». La répétition est assez gênante, c'est sûr, mais vraiment, je n'ai pas eu le choix : il se trouve que cette histoire débute l'année de mes six ans, quand je croyais encore au Père Noël et à la Petite Souris. (Enfin, plus ou moins… Les doutes m'effleuraient déjà.) Aujourd'hui que j'en ai vingt-deux, on se situe dans l'*après*, vous ne me direz pas le contraire. Il est bien possible qu'une fois arrivé à la quarantaine – à condition que je vive jusque-là –, je repense à tout ce que je croyais comprendre à vingt-deux ans, et que je mesure alors à quel point j'étais loin du compte. Il y a toujours un après, maintenant je le sais. Jusqu'à ce qu'on meure, évidemment. À partir de là, je suppose que tout appartient à l'avant.

Je m'appelle Jamie Conklin et, dans une autre vie, j'ai dessiné une dinde de Thanksgiving à l'école. Moi, j'étais persuadé d'avoir pondu un chef-d'œuvre, mais j'ai très vite déchanté : apparemment, ce que j'avais pondu était plus proche du tas de crottes. La vérité, elle est vraiment pourrie, par moments.

À mon avis, ce qui suit est une histoire d'épouvante. À vous de voir.

1

C'était la sortie de l'école, je rentrais à la maison avec ma mère. D'un côté, je lui tenais la main et de l'autre, je serrais bien fort ma dinde de Thanksgiving – celle qu'on faisait dessiner aux petits du CP la semaine d'avant la fête. J'en étais fier comme tout, et j'avoue que je me la pétais grave. Je vous explique la méthode, pour la dinde : on prend une grande feuille de papier cartonné, on pose la main dessus et on suit les contours avec un crayon de couleur. Voilà pour le corps et les plumes de la queue. Pour la tête, on se débrouille comme on peut.

Je l'ai montrée à maman, qui m'a répondu par un de ses « ouais ouais super, génial, ton truc », mais je doute qu'elle l'ait vue pour de bon. Sûrement qu'elle réfléchissait à un des bouquins qu'elle cherchait à vendre. Elle, elle appelait ça « fourguer la marchandise ». À cette époque, maman travaillait comme agent littéraire. C'était son frère, mon oncle Harry, qui avait créé l'agence, mais ça faisait un an qu'elle en avait pris la direction. C'est une longue histoire, et pas jolie jolie.

– Je l'ai faite en vert forêt parce que c'est ma couleur préférée. Tu le sais, hein ?

Quand j'ai dit ça, on était presque arrivés à destination. Il n'y avait que trois blocs entre l'école et notre immeuble.

Ma mère s'est contentée d'un « ouais ouais super », puis elle m'a signalé :

— Écoute, lascar, j'ai des tonnes de coups de fil à passer quand on sera à la maison. Tu n'auras qu'à jouer tout seul ou regarder *Barney* et *The Magic Schoolbus.*

Je lui ai renvoyé un « ouais ouais super » qui m'a valu un sourire et un petit coup de coude. J'étais ravi quand je lui tirais un sourire, parce que même à six ans, je me rendais bien compte qu'elle prenait les choses très, très au sérieux. Moi, je ne savais pas encore que je faisais partie de ses soucis : ma mère commençait à croire qu'elle élevait un môme totalement barré — et c'est justement ce jour-là qu'elle s'est aperçue que non, décidément, son fils n'était pas dingo. Ç'a été un soulagement, je suppose, mais un petit seulement.

— Surtout, tu n'en parles à personne, m'a-t-elle demandé après coup. Sauf à moi. Et encore... OK, lascar ?

J'ai accepté, bien sûr. Quand on a six ans et que c'est maman qui demande, on dirait oui à n'importe quoi. Sauf si elle nous commande d'aller au lit, naturellement. Ou de terminer notre assiette de brocolis.

Dans notre immeuble, l'ascenseur était encore en panne. On peut toujours penser que les choses auraient tourné autrement s'il avait fonctionné, mais je n'y crois pas une seule seconde. Les gens qui prétendent que, dans la vie, tout est affaire de bons choix au bon moment racontent vraiment n'importe quoi. Parce que, vous voyez, on allait quand même monter au troisième, ascenseur ou pas. Quand le destin pointe sur vous son doigt capricieux, toutes les routes mènent au même point, j'en suis convaincu. Peut-être qu'un jour je changerai d'opinion, mais ça m'étonnerait beaucoup.

– Ascenseur de merde, a râlé maman. Oups, t'as rien entendu, hein ?

– Je sais même pas de quoi tu parles...

Encore un sourire de maman – le dernier de l'après-midi, autant vous avertir tout de suite. Je lui ai proposé de prendre son sac, qui contenait un manuscrit comme d'habitude. Celui-ci était spécialement épais, un énorme pavé d'au moins cinq cents pages. (Les jours de beau temps, elle s'asseyait sur un banc pour lire en attendant la sortie des classes.)

– C'est gentil comme tout, m'a-t-elle répondu, mais qu'est-ce que je te répète toujours ?

– Dans la vie, à chacun son fardeau.

– Exactement.

– C'est un Regis Thomas, ton livre ?

– Tout à fait. Ce bon vieux Regis qui paie notre loyer.

– Et ça parle de Roanoke ?

– Quelle question ! À ton avis ?

J'ai ricané. Les romans de Regis parlaient *systématiquement* de la colonie de Roanoke. Probablement son fardeau à lui.

Nous avons grimpé les escaliers jusqu'au troisième. Notre appartement se trouvait au bout du couloir, et il y en avait deux autres au même étage. Le nôtre était le plus chic des trois. Devant la porte du 3A, j'ai vu nos voisins, les Burkett, et j'ai su immédiatement que quelque chose clochait, parce que

Mr Burkett fumait une cigarette – ce n'était jamais arrivé et en plus, c'était interdit par le règlement de l'immeuble. Il avait les yeux injectés de sang et ses cheveux gris se dressaient en bataille sur sa tête. Moi, je l'appelais simplement *mister* Burkett, mais il avait le titre de *professeur*, il enseignait une matière hyper-classe à l'université de New York. Littérature anglaise et européenne, je l'ai su après. Mrs Burkett était pieds nus, en chemise de nuit. La chemise était très fine, je lui voyais quasiment tout à travers le tissu.

– Marty ? a dit ma mère. Il y a un problème ?

Avant qu'il ait pu ouvrir la bouche, je lui ai brandi mon dessin sous le nez. J'en étais ultra-fier, vous comprenez, et puis j'avais envie de lui remonter le moral, il avait l'air drôlement malheureux.

– Mr Burkett ! Vous avez vu ? J'ai dessiné une dinde ! Mrs Burkett, regardez !

J'ai levé la feuille devant ma figure, je ne voulais surtout pas qu'elle pense que je regardais à travers sa chemise.

Mr Burkett m'a ignoré, je crois qu'il ne m'a même pas entendu.

– Tia, j'ai une terrible nouvelle à vous annoncer. Mona est décédée ce matin.

Ma mère a laissé tomber à ses pieds le sac avec le manuscrit dedans, une main plaquée sur la bouche.

– Oh non, ce n'est pas possible !

Mr Burkett s'est mis à pleurer.

– Elle s'est réveillée pendant la nuit pour boire un verre d'eau. Je me suis rendormi, et ce matin, en me levant, je l'ai trouvée couchée sur le canapé avec un plaid tiré sur le menton. Je suis allé préparer discrètement le café, en pensant que cette bonne odeur la réveille... la réveillerait...

Là, il s'est effondré pour de vrai, et le bonhomme avait beau approcher des cent ans, maman l'a pris dans ses bras comme elle le faisait avec moi quand je m'étais blessé. (En réalité, il n'avait que soixante-quatorze ans – je l'ai su après.)

C'est à ce moment-là que Mrs Burkett s'est adressée à moi.

J'avais du mal à entendre, mais pas autant qu'avec d'autres, vu qu'elle était encore récente.

– James, m'a-t-elle dit, les dindes vertes, ça n'existe pas.

– Sauf la mienne, alors.

Ma mère tenait toujours Mr Burkett dans ses bras, on aurait dit qu'elle le berçait. Elle, ils ne pouvaient pas l'entendre, et ils ne m'ont pas entendu non plus, trop occupés par leurs affaires d'adultes : pleurer à chaudes larmes pour Mr Burkett, consoler pour maman.

– J'ai fait venir le docteur Allen, a repris Mr Burkett. Il pense qu'elle a eu un A vissé.

C'est ce que j'ai cru comprendre, en tout cas, il pleurait tellement que ça brouillait ses paroles.

– Il a appelé les pompes funèbres, et ils sont venus la chercher. Qu'est-ce que je vais devenir, maintenant qu'elle n'est plus là ?

Mrs Burkett est intervenue :

– Si mon mari ne fait pas attention, il va brûler les cheveux de ta mère avec sa cigarette.

Ça n'a pas loupé ; j'ai senti l'odeur des cheveux brûlés, qui m'a fait penser à un salon de coiffure. Maman était trop bien élevée pour se plaindre, mais elle a quand même écarté Mr Burkett pour lui prendre sa cigarette, qu'elle a écrabouillée par terre sous son talon. J'ai trouvé ça dégoûtant, du pur vandalisme, mais je n'ai pas fait de commentaire. La gravité de la situation ne m'avait pas échappé.

Je savais aussi que Mr Burkett serait malade de trouille si je parlais encore à sa femme, et maman aussi. À moins d'être complètement demeuré, même un gamin a conscience de certaines règles élémentaires. On dit s'il vous plaît et merci, on ne joue pas avec sa zigounette en public, on ne mâche pas la bouche ouverte, et surtout, on évite de causer avec les morts en présence des vivants qui souffrent de leur départ. Je précise à ma décharge que lorsque j'ai vu Mrs Burkett, je n'ai pas deviné tout de suite qu'elle était morte. À la longue, j'ai fini par progresser là-dessus, mais à ce moment-là j'étais en période d'apprentissage. Sa chemise était transparente, mais pas ses pensées. Foncièrement, il n'y a rien qui distingue les morts des vivants, il faut juste savoir qu'ils portent les vêtements qu'ils avaient sur le dos au moment du décès.

Pendant ce temps, Mr Burkett revivait toute la scène – avant l'arrivée du docteur, il s'était assis par terre à côté du canapé en tenant la main de sa femme, et puis il avait recommencé en attendant que les pompes funèbres viennent la chercher.

Il a parlé aussi de « mise en bière », une expression que j'ai dû me faire expliquer par maman. Et quand il a dit salon *funéraire*, j'ai cru qu'il allait dire salon *de coiffure*, peut-être à cause

de l'odeur de cheveux cramés. Ses pleurs s'étaient calmés, mais
là, ils ont repris de plus belle.

– Ses bagues ont disparu, a bredouillé Mr Burkett à travers
ses larmes. Son alliance et sa bague de fiançailles, celle avec le
gros diamant. J'ai vérifié dans sa table de chevet, je sais qu'elle
les y rangeait avant de se passer cette horrible pommade contre
l'arthrite…

– En effet, elle sent mauvais, a admis Mrs Burkett. La lanoline, à la base, c'est quand même de la graisse de mouton, mais
c'est très efficace.

J'ai hoché la tête sans un mot.

– J'ai aussi regardé sur le bord du lavabo, il lui arrive de les
laisser là… j'ai cherché partout.

Ma mère a essayé de le rassurer.

– Vous finirez bien par retomber dessus. (Maintenant que ses
cheveux ne risquaient plus rien, elle l'a repris dans ses bras.)
Ne vous tracassez pas pour ça, Marty, vous les retrouverez tôt
ou tard.

– *Elle me manque tellement ! Son absence se fait déjà sentir.*
Mrs Burkett a fait un grand geste de la main.

– Je lui donne six semaines avant d'inviter Dolores Magowan
à déjeuner.

Mr Burkett pleurait toujours et maman tâchait de le réconforter, comme elle le faisait avec moi quand je m'écorchais les
genoux, ou la fois où je m'étais brûlé en voulant lui préparer
du thé. J'ai profité du brouhaha pour tenter ma chance.

– Elles sont où, vos bagues, Mrs Burkett ? ai-je demandé tout
doucement. Vous le savez ?

Après la mort, les gens sont obligés de dire la vérité, mais à six ans je ne le savais pas encore. Je tenais simplement pour acquis que *tous* les adultes disaient la vérité, qu'ils soient vivants ou morts. Il est vrai qu'à cette époque, je me figurais aussi que Boucle d'Or existait pour de bon. Ça vous fait rire ? Mais au moins, je ne croyais pas que les trois ours savaient parler.

– Dans le placard de l'entrée, sur l'étagère du haut. Tout au fond, derrière les albums souvenirs.

– Pourquoi là ?

Ma mère m'a jeté un drôle de regard : de son point de vue à elle, j'étais en train de parler dans le vide. Bon, elle savait déjà que j'étais un peu différent des autres gosses. Après l'incident de Central Park – une très sale histoire, j'y viendrai –, je l'avais surprise au téléphone avec un de ses amis éditeurs, à qui elle disait que je devais être extralucide. Moi, j'avais compris « Lucile » au lieu de « lucide », et j'en avais déduit qu'elle voulait me rebaptiser d'un nom de fille. Pas très rassurant, comme perspective.

– Je n'en ai pas la moindre idée, m'a avoué Mrs Burkett. Je pense qu'à ce moment-là, je sentais déjà les effets de l'attaque. Le sang devait noyer mes pensées.

Le sang devait noyer mes pensées. Ces mots-là, ils m'ont marqué pour toujours.

Maman a invité Mr Burkett à venir boire un thé à la maison (« ou quelque chose de plus fort »), mais il n'a pas voulu, il tenait absolument à chercher les fameuses bagues. Comme maman avait prévu de manger chinois au dîner, elle a proposé d'en commander pour lui, et il a accepté en la remerciant.

Elle lui a répondu « *de nada* » (une de ses expressions préférées avec « ouais ouais super »), en précisant qu'elle lui apporterait son plat vers six heures ; il pouvait même dîner chez nous si ça lui faisait plaisir, il serait le bienvenu. Mr Burkett préférait rester chez lui, mais il souhaitait qu'on lui tienne compagnie pour le repas. J'ai bien noté qu'il disait « chez nous », comme si sa femme vivait toujours. Ce qui n'était pas le cas, même si elle était bien là.

– D'ici là, lui a assuré maman, vous aurez retrouvé les bagues. Viens, Jamie, a-t-elle ajouté en me prenant la main. On repassera plus tard voir Mr Burkett, on va le laisser tranquille un moment.

Avant qu'on s'en aille, Mrs Burkett m'a de nouveau parlé :

– Les dindes ne sont jamais vertes, Jamie, et de toute manière ton dessin n'est pas ressemblant. On dirait un gros pâté hérissé de doigts. Tu ne risques pas de devenir un Rembrandt.

Les morts sont obligés de dire la vérité, ce qui tombe très bien quand on a besoin d'une réponse. N'empêche que la vérité peut être vraiment pourrie, je le répète. J'ai senti monter la colère, mais Mrs Burkett a fondu en larmes et ça m'a coupé dans mon élan. Elle a dit en se tournant vers son mari :

– Qui va vérifier qu'il ne manque pas le passant de derrière quand tu mets ta ceinture ? Dolores Magowan, peut-être ? C'est ça, oui, quand les poules auront des dents.

Elle a posé un baiser sur la joue de Mr Burkett, ou du moins elle a fait le geste.

– Je t'ai aimé, Marty. Et je t'aime toujours.

Mr Burkett s'est gratté le visage à l'endroit où ses lèvres l'avaient touché, comme si quelque chose le démangeait. C'est sûrement la sensation qu'il a éprouvée.

2

Alors oui, je peux voir les morts. D'aussi loin que je m'en souvienne, il en a toujours été ainsi. Rien de commun avec le film *Sixième sens*, cela dit. L'expérience peut être instructive ou flippante (le gars de Central Park, par exemple), voire carrément chiante, mais la plupart du temps, c'est seulement un fait. Comme écrire de la main gauche ou être capable de jouer du classique dès l'âge de trois ans. Ou déclarer une forme précoce de la maladie d'Alzheimer à quarante-deux ans, comme mon oncle Harry. À six ans, je le trouvais déjà vieux, mais je comprenais aussi que c'était bien trop jeune pour ne plus savoir qui on est, ni comment s'appellent les objets courants – bizarrement, c'était ça qui m'effrayait le plus quand on lui rendait visite. Ce n'était pas un vaisseau éclaté qui avait noyé ses pensées, mais elles avaient sombré quand même.

On a continué jusqu'à l'appartement 3 C, et maman a ouvert la porte. Opération qui a pris un certain temps, étant donné qu'il n'y avait pas moins de trois serrures. Le prix à payer pour mener la grande vie, d'après ma mère. On habitait un logement de six pièces qui donnait sur l'avenue, et qu'elle surnommait « le palace de Park Avenue ». Une femme de ménage venait deux fois par semaine ; maman avait une Range Rover dans un parking de la 2e Avenue, et il nous arrivait d'aller voir oncle Harry à Speonk. Grâce à Regis Thomas et à une poignée d'auteurs (mais surtout à ce bon vieux Regis), on vivait comme des coqs en pâte. Mais la belle vie a été de courte durée, un retournement douloureux que je vous raconterai bien assez tôt. Avec le recul, je me dis que ma vie était digne d'un roman de Dickens, les gros mots en plus.

Avant de s'asseoir, maman a balancé sur le canapé son sac à main et le cabas contenant le manuscrit. Les coussins produisaient un bruit de pet qui nous faisait toujours rigoler, mais ce soir-là on n'a pas ri du tout.

– Putain de merde, a lâché maman, levant aussitôt la main pour me mettre en garde. Tu n'as...

– Rien entendu. Juré.

– Tant mieux. Il me faudrait un collier qui envoie une décharge électrique chaque fois que je dis des gros mots devant toi. Ça m'apprendrait à faire gaffe. (Elle a froncé les lèvres pour souffler sur sa frange.) Bon, il me reste encore deux cents pages du dernier bouquin de Regis...

– Comment il s'appelle, celui-ci ?

Je savais déjà qu'il y aurait « Roanoke » dans le titre, c'était inévitable.

– *La Revenante de Roanoke.* C'est un de ses meilleurs, selon moi. Il y a pas mal de... Enfin, les gens se font des tas de câlins, quoi.

J'ai désapprouvé en faisant la grimace.

– Désolé, Jamie, mais les femmes raffolent des émotions fortes et des étreintes passionnées.

Elle a jeté un regard au manuscrit dans le sac, maintenu par sept ou huit élastiques. Il y en avait toujours un qui cassait, inspirant à maman les jurons les plus mémorables de son répertoire. J'en emploie encore un certain nombre, d'ailleurs.

– La seule chose qui me fasse envie dans l'immédiat, c'est un verre de vin. Ou même une bouteille entière, tiens. Mona Burkett était la reine des emmerdeuses, et son mari sera peut-être plus tranquille sans elle. Mais pour le moment, il est effondré. J'espère sincèrement qu'il a de la famille pour le soutenir, ça m'ennuierait beaucoup d'être réquisitionnée.

– Elle aussi, elle l'aimait.

Maman m'a lancé un regard étonné.

– Ah oui ? Tu crois ça ?

– Non, je le sais. Elle a dit un truc méchant sur la dinde que j'ai dessinée, mais après, elle s'est mise à pleurer et elle l'a embrassé sur la joue.

– C'est ton imagination, James.

Elle n'avait pas l'air convaincu, malgré tout – je pense qu'à ce moment-là, elle avait déjà compris. Le problème avec les adultes, c'est qu'ils font un blocage dès qu'il s'agit de croire, et ils ont de bonnes raisons : quand les gosses découvrent que le Père Noël est bidon, que Boucle d'Or n'existe pas et que le Lapin de Pâques est un énorme bobard, c'est un tel choc qu'ils arrêtent de croire à tout ce qu'ils ne voient pas de leurs propres yeux.

– C'est pas vrai, j'ai pas tout imaginé ! Elle a même dit que je ne deviendrais pas un Rembrandt. C'est qui, d'abord ?

– Un artiste, a répondu maman en soufflant de nouveau sur sa frange.

Elle aurait dû la faire couper, à mon avis, ou changer tout bonnement de coiffure, elle était bien assez jolie pour se le permettre.

– Quand on ira manger chez Mr Burkett, ne t'avise surtout pas de lui raconter quoi que ce soit.

– Promis, je dirai rien. Mais quand même, elle avait raison. Elle est nulle, ma dinde.

La remarque m'était restée sur le cœur et maman a dû s'en apercevoir parce qu'elle m'a aussitôt tendu les bras.

– Viens par ici, lascar.

Je me suis blotti contre elle.

– Eh bien moi, je trouve ta dinde magnifique. Je n'en ai jamais vu d'aussi réussie. Tu sais quoi ? Je vais l'afficher sur la porte du frigo, et elle y restera pour toujours.

Je l'ai serrée de toutes mes forces, en nichant mon visage au creux de son épaule pour pouvoir respirer son parfum.

– Je t'aime, maman.

– Je t'aime aussi, Jamie. À la puissance mille. Allez, file, j'ai des tas de gens à appeler avant de commander au chinois. Tu peux jouer ou regarder la télé, comme tu veux.

– D'accord.

Au moment de partir dans ma chambre, je me suis retourné et j'ai dit à maman :

– Les bagues, tu sais. Elle les a mises dans le placard de l'entrée, derrière les albums souvenirs.

Ma mère m'a dévisagé, bouche bée.

– Mais pourquoi aurait-elle fait ça ?

– J'ai posé la question, mais elle ne savait pas. Elle a dit que le sang devait déjà noyer ses pensées, à ce moment-là.

– Mon Dieu, a murmuré maman en portant une main à son cou.

– Il faudrait que tu trouves un moyen de le lui dire pendant le repas. Comme ça, il arrêtera de s'inquiéter. Je peux prendre le poulet du général Tao ?

– Ça marche. Avec du riz complet, c'est bien ça ?

– Ouais, ouais, super.

Là-dessus, je suis allé m'amuser avec mes Lego. Je m'étais lancé dans la construction d'un robot.

3

L'appartement des Burkett était moins spacieux que le nôtre, mais joli quand même. Après le dîner, pendant qu'on ouvrait nos *fortune cookies* (le papier du mien disait *Ne lâchez pas la proie pour l'ombre*, formule totalement obscure à mes yeux), maman a abordé le sujet des bijoux.

— Ces bagues que vous cherchez, Marty. Vous avez fouillé dans tous les placards ?

— Pourquoi les aurait-elle mises dans un placard ?

Question assez pertinente, soit dit en passant.

— Elle était en train de faire un AVC, elle n'avait pas forcément les idées claires.

Nous étions installés dans le coin repas de la cuisine, autour d'une petite table ronde. Mrs Burkett, qui se tenait assise sur un des tabourets du comptoir, a salué la remarque de maman d'un hochement de tête vigoureux.

— Je regarderai, éventuellement…, a dit Mr Burkett d'un ton évasif. Dans l'immédiat, je me sens trop chamboulé. Et je suis épuisé.

Maman a insisté :

– Vérifiez dans le placard de la chambre quand vous aurez un moment. Moi, je m'occupe de celui de l'entrée, j'y vais de ce pas. Il faut que je me remue, j'ai un peu forcé sur le porc sauce aigre-douce.

– Elle a vraiment trouvé ça toute seule ? s'est étonnée Mrs Burkett. Je ne la croyais pas futée à ce point.

Sa voix n'était déjà plus très claire et bientôt, je ne la percevrais plus du tout, je verrais seulement bouger ses lèvres comme si elle parlait derrière une vitre. Et alors, elle ne tarderait pas à disparaître.

– Maman, elle est hyper-futée.

– Je n'ai jamais prétendu le contraire, a répliqué Mr Burkett. Mais si elle retrouve les bijoux dans le placard de l'entrée, je suis prêt à manger mon chapeau.

Pile à cet instant, ma mère a crié « Bingo ! », et elle est revenue vers nous en exhibant les deux bagues au creux de sa paume. L'alliance m'a paru assez ordinaire, mais le diamant de la bague de fiançailles était gros comme un œuf. Il brillait autant qu'un cierge magique.

– Mon Dieu ! s'est exclamé Mr Burkett. Au nom du ciel, comment est-ce que…

– J'ai récité une prière à saint Antoine, a prétexté maman en coulant un regard vers moi, assorti d'un discret sourire. « Glorieux saint Antoine, tu as exercé le divin pouvoir de retrouver ce qui était perdu. Fais-moi retrouver ce que j'ai perdu et montre-moi ainsi la présence de ta bonté. » Et ça a porté ses fruits, vous pouvez le constater.

APRÈS

J'ai été tenté de demander à Mr Burkett s'il voulait assaisonner son chapeau avant de le manger, mais l'heure n'était pas à la blague. Et puis les petits malins énervent tout le monde, maman me le répétait bien assez.

4

L'enterrement a eu lieu trois jours après. C'était la première fois que j'assistais à des obsèques et j'ai trouvé la chose instructive, mais je ne dirais pas que je me suis amusé, ça non. Au moins, ma mère n'avait pas été réquisitionnée comme soutien en chef, Mr Burkett avait un frère et une sœur pour se charger de ça. Eux aussi étaient vieux, mais pas aussi vieux que lui. Pendant la cérémonie, Mr Burkett n'a pas arrêté de pleurer, et sa sœur lui tendait des Kleenex. À croire qu'elle en gardait tout un stock dans son sac à main, j'étais même surpris qu'elle arrive à y caser autre chose.

Pour le dîner, on a acheté des pizzas chez Domino. Maman a bu un verre de vin, et moi, j'ai eu droit à un Kool Aid, parce que j'avais été sage pendant les obsèques. Alors qu'on attaquait notre dernière part, elle m'a demandé si Mrs Burkett était présente là-bas.

— Ouais. Elle était assise sur les marches… tu sais, là où le pasteur et les autres gens sont montés pour parler.

— Ça s'appelle la chaire. (Elle a pris sa dernière portion de pizza et l'a regardée un instant avant de la reposer.) Et tu voyais au travers ?

– Comme les fantômes dans les films ?

– Si tu veux – on peut dire ça comme ça.

– Alors, non. Elle était normale, sauf qu'elle portait encore sa chemise de nuit. J'ai été surpris de la voir – elle est morte depuis trois jours, en général ils durent moins longtemps.

– Ils disparaissent, c'est ça ?

On aurait cru qu'elle réfléchissait à voix haute pour tâcher d'y voir plus clair. Je me rendais bien compte que ça la gênait d'aborder la question, mais j'étais content qu'elle y soit venue malgré tout. Content et soulagé.

– Ouais.

– Qu'est-ce qu'elle faisait, Jamie ?

– Rien du tout, elle était juste assise là. Elle a regardé le cercueil une fois ou deux, mais c'était surtout lui qu'elle regardait.

– Mr Burkett. Marty ?

– Oui, lui. À un moment, elle a dit quelque chose, mais j'ai rien entendu. Quand ils sont morts, leur voix s'affaiblit très vite, comme quand on baisse la radio dans la voiture. Au bout d'un moment, on ne les entend plus du tout.

– Et ensuite, ils disparaissent.

– Oui. (J'avais une boule dans la gorge, alors j'ai bu la fin de mon Kool Aid pour la faire passer.) Ils disparaissent.

– Tu m'aides à débarrasser ? Après, on regardera un épisode de *Torchwood*, si tu en as envie.

– Trop cool !

En vérité, *Torchwood* ne me branchait pas plus que ça, par contre j'étais ravi de gagner une heure avant de me coucher.

– Parfait. Mais ça ne doit pas devenir une habitude, on est

d'accord ? Bien, il faut d'abord que je te dise une chose très importante, tu vas m'écouter attentivement. *Très* attentivement.

– Ça marche.

Elle s'est appuyée sur un genou pour être à peu près à ma hauteur, puis elle a posé les mains sur mes épaules, doucement mais fermement.

– James, ne raconte jamais à personne que tu peux voir les morts. *Jamais*, tu m'entends ?

– De toute façon, ils me croiraient pas. Toi non plus, tu me croyais pas.

– Je croyais quand même qu'il se passait *quelque chose*. Depuis ce jour-là, à Central Park, tu te rappelles ? (Elle a soufflé sur sa frange.) Évidemment, que tu te rappelles. Tu n'es pas près d'oublier.

– Non.

Oh oui, je m'en souvenais. Malheureusement.

Maman me regardait dans les yeux, toujours agenouillée face à moi.

– Bon, les gens ne te croient pas et c'est tant mieux. Mais il est possible qu'un jour, quelqu'un finisse par te croire. Et ça peut déclencher des rumeurs qui te feront du mal, ou qui te mettront carrément en danger.

– Pourquoi ça ?

– Il y a un vieux dicton qui prétend que les morts ne peuvent plus raconter de mensonges, Jamie. Mais à toi, ils te parlent, n'est-ce pas ? Hommes ou femmes. D'après ce que tu me dis, ils sont obligés de répondre aux questions qu'on leur pose et de donner une réponse honnête. Comme si la mort équivalait à une injection de penthotal.

Maman a dû deviner à ma tête que ce mot ne m'évoquait rien, parce qu'elle a ajouté que ce n'était pas grave, je devais juste me rappeler comment Mrs Burkett m'avait révélé où les bagues étaient cachées.

– Et alors ?

J'adorais être tout près de maman, mais j'appréciais nettement moins l'intensité de son regard.

– Ces bijoux ont de la valeur, en particulier la bague de fian-çailles. Les gens meurent en emportant leurs secrets, Jamie, et il y en a toujours qui cherchent à les découvrir. Je suis désolée si je te fais peur, mais parfois, c'est la seule manière de faire rentrer une bonne leçon.

Une leçon… Comme quand le bonhomme de Central Park m'avait appris qu'il fallait faire très attention aux voitures, et toujours porter son casque quand on circulait à vélo. C'est ce que j'ai pensé, mais je n'ai rien dit à maman.

– D'accord, je ne raconterai rien à personne.

– Jamais, c'est bien clair ? Sauf à moi, si tu en éprouves le besoin.

– OK.

– C'est réglé, alors.

Là-dessus, nous nous sommes installés au salon pour regarder la télé. La série terminée, je me suis brossé les dents et je suis passé aux toilettes avant de me coucher. Maman est venue me border et m'embrasser, concluant par sa petite formule habituelle :

– Bonne nuit, fais de beaux rêves et repose-toi bien.

En général, je ne la revoyais pas jusqu'au lendemain matin. J'entendais un léger tintement lorsqu'elle se servait un deuxième – ou troisième – verre de vin, puis elle mettait du jazz en sourdine avant de se plonger dans un de ses manuscrits. Ce soir-là, pourtant, elle est revenue s'asseoir au bord de mon lit, il faut croire que les mères possèdent un sixième sens pour ce genre de choses. À moins qu'elle m'ait entendu pleurer, tout simplement, même si je tâchais de ne pas faire de bruit – comme disait maman, il vaut toujours mieux apporter des solutions que créer des problèmes.

– Qu'est-ce qui te chagrine, Jamie ? m'a-t-elle demandé en me passant la main dans les cheveux. Tu repenses aux obsèques ? À la présence de Mrs Burkett ?

– Maman, qu'est-ce que je deviendrais si tu venais à mourir ? On m'enverrait à l'orphelinat ? Oncle Harry serait pas fichu de s'occuper de moi.

– Non, bien sûr que non. Mais là, on discute dans le vide, Jamie, étant donné que je ne vais pas mourir avant très, très longtemps. J'ai à peine trente-cinq ans, je n'en suis qu'à la moitié de ma vie, même pas.

– Et si tu tombes malade comme oncle Harry, et que tu pars vivre là-bas, toi aussi ?

Les larmes ruisselaient sur mes joues. Ça me réconfortait qu'elle me caresse les cheveux et, en même temps, ça a fait redoubler mes pleurs, allez savoir pourquoi.

– Il pue, cet endroit ! Il pue le pipi !

– Le risque est tellement minuscule que si tu le comparais à une fourmi, la fourmi aurait l'air de Godzilla.

J'ai retrouvé le sourire, un brin rassuré. Aujourd'hui, je sais qu'elle me mentait ou qu'elle était mal informée, mais le gène qui a provoqué un Alzheimer précoce chez mon oncle a épargné ma mère, Dieu merci.

– Je ne vais pas mourir, et toi non plus, a-t-elle déclaré. Et il est très probable que cette faculté que tu as disparaisse avec le temps. Ça va mieux comme ça ?

– Oui, ça va.

– Alors, ne pleure plus, maintenant. Bonne nuit…

J'ai achevé à sa place :

– Fais de beaux rêves et repose-toi bien.

– Exactement.

Elle m'a embrassé sur le front et a laissé la porte entrouverte en sortant, comme tous les soirs.

J'avais préféré lui cacher que ce n'étaient pas les obsèques qui avaient provoqué ma crise de larmes, ni même Mrs Burkett. Elle, elle ne faisait pas peur, et les autres non plus, la plupart du temps. Mais le cycliste de Central Park, il me fichait une trouille monstre. Il était dégueulasse, celui-là.

5

On était en voiture sur le *Transverse* de la 86ᵉ Rue, en chemin vers Wave Hill dans le Bronx, où une de mes copines de maternelle donnait une grande fête pour son anniversaire. (« Encore une gosse pourrie gâtée », selon maman.) J'avais posé sur mes genoux le cadeau destiné à Lily. Après un tournant, on est tombés sur un petit attroupement en pleine rue. Un accident venait de se produire, de toute évidence. Un homme était allongé par terre, à moitié sur la chaussée, à moitié sur le trottoir, avec un vélo tout tordu couché près de lui. Quelqu'un avait déposé une veste sur la partie supérieure de son corps. En bas, j'ai vu qu'il portait un caleçon de cycliste noir avec des bandes rouges sur les côtés, des genouillères et des tennis couvertes de sang. Du sang, il y en avait aussi sur ses jambes et sur ses chaussettes. Le bruit des sirènes se rapprochait.

L'homme était étendu au sol, et en même temps il se tenait debout juste à côté, avec son caleçon noir et ses genouillères. Ses cheveux blancs étaient maculés de sang. Il avait le milieu du visage tout enfoncé – c'était sûrement à cet endroit qu'il avait percuté le trottoir. Au niveau du nez, on aurait cru qu'il avait été fendu en deux. Pareil pour la bouche.

Un petit embouteillage s'est formé et maman m'a dit :

– Ferme les yeux.

Elle, c'était l'homme à terre qui retenait son attention, bien évidemment.

Je me suis mis à crier.

– Il est mort ! Le monsieur, là, il est mort !

Bloqués par les véhicules devant nous, on a été forcés de s'arrêter.

– Mais non, voyons. Il dort, c'est tout. Ça arrive souvent, quand on s'est cogné très fort. Il va s'en tirer. Ferme les yeux, maintenant.

Mais je les ai gardés ouverts. L'homme accidenté a levé la main, et il m'a adressé un petit salut. Quand je les vois, ils le savent toujours. Toujours.

– Mais il a la figure fendue en deux !

Ma mère a jeté un coup d'œil pour vérifier, et a constaté que le haut du corps était dissimulé.

– Arrête de te faire des frayeurs, Jamie. Je t'ai demandé de fermer…

– Il est là ! ai-je crié en le montrant du doigt. (Mon doigt tremblait, tout s'est mis à trembloter dans mon champ de vision.) Il est là, je te dis, à côté de lui-même !

Cette fois, c'est ma mère qui a eu peur, je l'ai bien vu à sa manière de pincer les lèvres. Une main sur le klaxon, elle a baissé la vitre pour apostropher les automobilistes immobilisés devant nous :

– Avancez, là ! Par pitié, vous allez arrêter de le regarder, oui ? On n'est pas au cinéma, merde !

Les gens ont commencé à circuler, excepté la voiture placée juste devant nous. Le conducteur s'était penché pour prendre une photo avec son portable. Maman a tamponné son pare-chocs exprès, et il lui a fait signe d'aller se faire foutre. Elle a manœuvré pour changer de file. J'aurais bien aimé lui renvoyer un doigt d'honneur, à ce type, mais j'étais bien trop terrifié par ce qui arrivait.

Là-dessus, maman a manqué rentrer dans une voiture de police qui déboulait dans l'autre sens, et elle a accéléré pour rejoindre l'autre extrémité du parc. On était presque au bout quand j'ai détaché ma ceinture de sécurité. Elle a eu beau hurler que c'était interdit, je me suis dépêché de baisser la vitre, à genoux sur la banquette, pour vomir copieusement à l'extérieur, éclaboussant le flanc de la voiture. Impossible de me retenir. Quand on est arrivés sur Central Park West, maman s'est arrêtée et m'a essuyé le visage avec la manche de son chemisier. Elle l'a peut-être remis par la suite, mais je ne me rappelle pas l'avoir revu.

– Mon Dieu, Jamie, tu es blanc comme un linge.

– J'ai pas pu m'empêcher. C'est la première fois que je vois quelqu'un comme ça. Il avait les os qui lui ressortaient par le nez !

J'ai recommencé à dégobiller, mais cette fois j'ai à peu près réussi à épargner la carrosserie. Il faut dire aussi que je n'avais plus grand-chose dans l'estomac.

Maman me massait la nuque, ignorant l'automobiliste (le type du doigt d'honneur, peut-être) qui donnait de grands coups de klaxon et contournait notre voiture.

– Tu as tout imaginé, mon chéri. Le haut de son corps était couvert.

– Je te parle de celui qui était debout, pas de l'autre par terre. Il m'a fait signe avec sa main !

Ma mère m'a dévisagé longuement, comme si elle s'apprêtait à me dire quelque chose, puis elle s'est contentée de boucler ma ceinture.

– Je crois qu'on ferait mieux de renoncer à cet anniversaire. Qu'est-ce que tu en penses ?

– Je veux bien, oui. De toute façon, j'aime pas Lily, elle me pince en cachette pendant l'heure de lecture.

Du coup, on est rentrés directement à la maison. Maman m'a demandé si je me sentais d'attaque pour un chocolat chaud, et j'ai répondu que oui. On s'est installés au salon avec nos tasses. J'avais toujours le cadeau de Lily, une petite poupée en costume marin. Quand je le lui ai offert, la semaine suivante, elle m'a plaqué un baiser sur la bouche au lieu de me pincer comme d'habitude. Les autres gamins se sont moqués de moi, mais je m'en fichais royalement.

Tout en buvant notre chocolat au lait (je soupçonne maman d'avoir un peu arrangé le sien), on a eu une discussion. C'est ma mère qui a commencé :

– Quand j'étais enceinte, je me suis juré de ne jamais mentir à mon enfant, et il faut bien que j'assume. Alors, oui, cet homme était probablement mort. (Elle a rectifié après une brève hésitation.) Il était mort, point. À mon avis, même un casque n'aurait pas suffi à le sauver, et de toute manière, je n'en ai pas vu.

En effet, le bonhomme roulait sans casque. S'il en avait eu un lorsque le taxi l'avait renversé (il s'agissait bien d'un taxi, on l'a appris un peu plus tard), je l'aurais vu sur sa tête quand il se tenait près de son propre corps. Ils portent toujours la même tenue qu'au moment du décès.

– Mais en ce qui concerne son visage, c'est seulement ton imagination qui te joue des tours, mon chéri. Il est impossible que tu l'aies vu, quelqu'un avait posé une veste dessus. D'ailleurs, c'était très gentil de sa part.

– Il portait un T-shirt avec un phare.

Une nouvelle idée m'a traversé l'esprit. Ce n'était qu'un maigre réconfort, mais dans ce genre de circonstances, on évite de faire le difficile.

– Au moins, il était vieux.

Maman m'a regardé d'un drôle d'air.

– Qu'est-ce qui te fait dire ça ?

Quand je repense à cette conversation, je me dis que c'est là qu'elle a commencé à me croire – au moins un petit peu.

– Il avait les cheveux blancs. Sauf aux endroits où il y avait du sang, bien sûr.

Je me suis remis à pleurer. Ma mère m'a serré contre elle en me berçant doucement, et j'ai fini par m'assoupir dans ses bras. Vous savez quoi ? Il n'y a rien de mieux que la présence d'une mère quand on a des trucs flippants plein la tête.

À cette époque, on nous livrait le *Times* tous les matins et maman le lisait à la table du petit-déjeuner, encore en peignoir. Mais ce jour-là, le lendemain de l'accident de Central Park, j'ai remarqué qu'elle lisait un manuscrit à la place. Ce devait être un samedi, parce que en me demandant de m'habiller après le petit-déjeuner, elle a ajouté qu'on se ferait peut-être la croisière de la Circle Line. Je me suis fait la réflexion que c'était le premier week-end après la mort du bonhomme de Central Park, et ça a redonné une terrible réalité à toute l'histoire.

J'ai obéi à ma mère, mais d'abord je me suis faufilé dans sa chambre pendant qu'elle prenait sa douche. Le journal était posé sur le lit, ouvert à la page des annonces de décès, réservée aux morts assez célèbres pour figurer dans le *Times*. Il y avait une photo du cycliste, qui s'appelait Robert Harrison. Je n'avais que quatre ans, mais je lisais déjà aussi bien qu'un élève de CE2, ce qui faisait la fierté de ma mère. Comme il n'y avait pas de mots compliqués dans le titre, j'ai réussi à le déchiffrer. **Le P-DG de la fondation Lighthouse victime d'un accident de la circulation.**

Après ça, j'avais encore vu quelques morts – on dit que la mort fait partie de la vie, sans mesurer à quel point c'est vrai –, mais si j'en avais parlé quelquefois à maman, je m'étais tu la plupart du temps, pour éviter de la perturber. Il avait fallu attendre le décès de Mrs Burkett et l'affaire des bagues au fond du placard pour qu'on rediscute en détail de la question.

Ce soir-là, quand maman m'a laissé dans ma chambre, j'ai bien cru que le sommeil ne viendrait jamais, ou que je ferais les pires cauchemars si j'arrivais à m'endormir : l'homme de Central Park avec son visage fracassé et ses os qui lui ressortaient par le nez, ou ma mère couchée dans un cercueil et assise en même temps sur les marches de la chaire, où je serais le seul à la voir. Pourtant, je ne me souviens pas d'avoir rêvé. Le lendemain, je me suis réveillé plein d'énergie, maman aussi se sentait en forme, et on a chahuté comme on le faisait de temps à autre. Elle a affiché le dessin de la dinde sur la porte du frigo, et j'ai éclaté de rire quand elle a posé un énorme baiser dessus. Ensuite, elle m'a accompagné à l'école, où Mrs Tate nous a fait un topo sur les dinosaures.

Et voilà. La vie a suivi paisiblement son cours pendant encore deux ans, et puis tout est parti en vrille.

6

Le jour où maman a compris pour de bon que ça sentait le roussi, je l'ai entendue téléphoner à une de ses amies éditrices. Elle lui parlait de l'oncle Harry : « Même avant sa maladie, il était à côté de la plaque. »

À six ans, je n'aurais pas décodé, mais là, j'allais sur mes neuf ans et je me suis fait ma petite idée : apparemment, oncle Harry s'était fichu dans le pétrin – en entraînant ma mère avec lui – avant qu'un Alzheimer précoce n'embarque son cerveau comme un voleur dans la nuit.

Je soutenais maman, bien entendu : c'était ma mère et on faisait équipe, elle et moi, unis contre le reste du monde. Je détestais mon oncle de nous avoir attiré tous ces ennuis. Je n'ai réalisé que bien après, vers l'âge de douze ou quatorze ans, qu'elle aussi avait eu sa part de responsabilité. Elle aurait sûrement pu tirer les marrons du feu, je pense qu'elle en a eu l'occasion. Sauf qu'elle ne l'a pas saisie. Comme son frère Harry, qui avait créé l'Agence Littéraire Conklin, ma mère était très calée pour les bouquins, mais beaucoup moins futée sur les questions financières.

Ce n'était pas faute d'avoir été prévenue, je tiens à le dire. La première mise en garde était venue de son amie Liz Dutton. Inspectrice du New York Police Department, Liz était une inconditionnelle de la saga de Regis Thomas sur Roanoke. Ma mère l'avait rencontrée à la soirée de lancement d'un des tomes de la série, et le courant était passé. Dommage – je vous expliquerai pourquoi en temps utile. Dans l'immédiat, je me bornerai à rapporter l'avertissement de Liz : le fonds d'investissement Mackenzie était trop beau pour être vrai. Elle a dû dire ça à maman à l'époque du décès de Mrs Burkett, je ne me rappelle pas précisément. Je sais juste que ça s'est passé avant l'automne 2008, quand l'économie en général, et nos économies en particulier, se sont cassé la figure.

Autrefois, mon oncle Harry jouait au *racquetball* dans un club huppé près de Pier 90, là où sont amarrés les gros bateaux. Un de ses partenaires était un producteur de Broadway, et c'est par lui qu'il avait connu la société Mackenzie. À entendre ce type, Mackenzie était une machine à faire du fric, et mon oncle l'avait cru sur parole. C'était tout naturel, d'ailleurs, puisque son copain avait produit des flopées de spectacles musicaux qui restaient à l'affiche pendant des siècles, à New York et dans tout le pays. En d'autres termes, l'argent des royalties coulait à flots (avec une mère agent littéraire, j'ai su très tôt ce que signifiait « royalties »).

Oncle Harry s'est donc renseigné, il a obtenu un rendez-vous avec un des gros poissons de la boîte – pas James Mackenzie en personne, Harry ne pesait pas assez lourd dans le jeu –, et il a placé chez eux un beau paquet d'argent. Le rapport a été tellement fabuleux qu'il s'est empressé de remettre ça. Pas qu'une fois, en plus. Quand sa maladie s'est déclarée – le déclin a été très rapide –, c'est ma mère qui a pris le relais pour gérer les comptes. Non seulement elle est restée chez Mackenzie, mais elle a aussi renouvelé la mise.

Monty Grisham, l'avocat qui la conseillait pour ses contrats professionnels, l'a incitée à se retirer tant qu'elle avait le vent en poupe ; voilà pour la deuxième mise en garde que ma mère a reçue peu après avoir pris les rênes de l'Agence Conklin. Monty a souligné que si quelque chose semblait trop beau pour être vrai, il y avait forcément anguille sous roche.

Je vous livre telles quelles les bribes que j'ai saisies ici ou là, comme cette conversation entre ma mère et son amie éditrice, mais vous comprenez sans doute où je veux en venir, et vous ne serez pas surpris d'apprendre que le Fonds Mackenzie était une gigantesque arnaque financière. En résumé, James Mackenzie et sa joyeuse bande d'escrocs engrangeaient des milliards et versaient des bénéfices confortables, tout en escamotant une part conséquente des capitaux investis. Ils se maintenaient à flot en appâtant sans cesse de nouveaux clients qu'ils faisaient passer pour des privilégiés, le Fonds Mackenzie étant soi-disant réservé à une poignée d'élus. Il s'est avéré au final que ces élus se comptaient par milliers, qu'il s'agisse de producteurs de Broadway ou de veuves friquées – qui ont tout perdu du jour au lendemain.

Pour que ce genre d'arnaque puisse fonctionner, il faut que les investisseurs soient satisfaits de leurs gains, mais il ne suffit pas qu'ils s'en tiennent à leur premier placement : le truc, c'est de leur faire cracher toujours plus de fric. Ça a marché pendant un temps, mais quand l'économie s'est effondrée en 2008, la majorité des investisseurs ont voulu récupérer leurs billes – sauf que l'argent s'était évaporé. Comparé à Madoff, le roi des pyramides de Ponzi, Mackenzie n'était qu'un amateur, mais il marchait quand même sur ses traces. Alors que sa boîte avait rentré plus de vingt milliards de dollars, lui-même n'avait mis que quinze malheureux millions dans le Fonds Mackenzie. Certes, il a fini en prison, mais comme le disait maman, la vengeance n'a jamais payé les factures ni rempli le frigo.

Au moment où la bobine de Mackenzie a commencé à apparaître aux nouvelles et dans les pages du *Times*, maman a essayé de me rassurer. « Pour nous, tout va bien Jamie, ne t'inquiète pas, il n'y a pas de problème. » Pourtant, elle angoissait à fond, ses yeux cernés m'en donnaient la preuve ; et elle avait mille bonnes raisons de s'en faire.

Encore quelques informations que j'ai réunies après coup : ma mère n'avait que deux cent mille dollars d'actifs disponibles, notamment les assurances-vie qu'elle avait prises à son nom et au mien. La colonne des passifs, je préfère ne pas vous en parler. Je vous rappelle simplement qu'on habitait sur Park Avenue, que les bureaux de l'agence se trouvaient sur Madison, et que la résidence où vivait oncle Harry (« si on peut appeler ça une vie », nuançait volontiers maman) était située à Pound Ridge, qui n'est pas connu pour ses loyers modérés.

Sa première initiative a été d'abandonner les locaux de Madison Avenue. Pendant un moment, elle a travaillé depuis son domicile, dans le fameux « palace sur Park Avenue ». Elle a versé plusieurs mois de loyer d'avance en encaissant l'argent des assurances-vie, y compris celle de son frère, mais ça ne couvrait pas plus de huit ou dix mois. Pour compléter, elle a mis en location la maison d'oncle Harry à Speonk, revendu sa Range Rover (« Tu sais, Jamie, ça ne sert à rien d'avoir une voiture en ville »), et cédé une partie de sa collection d'éditions originales, en particulier un exemplaire de *Look Homeward, Angel* signé par Thomas Wolfe. Celui-là, elle s'en est séparée la mort dans l'âme, en se plaignant de ne pas en avoir tiré la moitié de ce qu'il valait : à ce moment-là, le marché des livres rares était en pleine dégringolade, à cause, justement, de tous les vendeurs dans son genre qui se retrouvaient pris à la gorge. Notre tableau d'Andrew Wyatt a dégagé aussi. Avec ça, ma mère insultait quotidiennement James Mackenzie, qu'elle traitait de putain d'enfoiré d'arnaqueur de trou du cul. Mon oncle aussi en prenait pour son grade, elle prédisait même que, d'ici la fin de l'année, il irait vivre sous les ponts, et ce serait tant pis pour lui.

Mais je dois lui rendre justice : elle s'en voulait aussi énormément d'avoir négligé les conseils de Liz et de Monty. Maman m'a avoué un soir qu'elle se sentait « comme la cigale qui a chanté tout l'été au lieu de se mettre au travail ». On était alors en janvier ou février 2009, me semble-t-il. Liz passait quelquefois la nuit chez nous, mais ce soir-là elle n'était pas restée. Cette soirée m'a marqué parce que j'ai remarqué pour la première fois des fils gris dans les beaux cheveux roux de ma mère. Ou parce qu'elle a pleuré, peut-être. C'était mon tour de la consoler, et un enfant de mon âge ne savait pas trop comment s'y prendre.

Au cours de l'été 2009, on a quitté le palace sur Park Avenue pour emménager sur la 10ᵉ Avenue, dans un appartement beaucoup plus petit. « Le loyer est correct, a dit ma mère, et ce n'est pas un gourbi. » Et elle a ajouté : « Plutôt mourir que partir de New York. Ce serait un signe de capitulation, et je commencerais à perdre des clients. »

L'agence a déménagé en même temps que nous, naturellement. Maman a installé son bureau dans une des chambres, celle que j'aurais sans doute occupée si la situation n'avait pas été aussi désespérée. Du coup, je dormais dans une espèce de renfoncement attenant à la cuisine : une étuve en été et une glacière en hiver, mais au moins ça sentait bon, là-dedans. Je crois que c'était une ancienne réserve à provisions.

Quant à mon oncle Harry, il a été transféré dans une institution à Bayonne, un endroit que je me dispenserai de vous décrire. Le seul point positif, c'est qu'il ne se rendait compte de rien. On aurait pu le loger dans un cinq-étoiles qu'il se serait pissé dessus tout pareil.

Quelques souvenirs de 2009 et 2010 : maman a cessé d'aller chez le coiffeur. Elle a aussi arrêté de sortir au restaurant avec des amis, ne dînant qu'avec ses clients en cas d'extrême nécessité (elle savait bien que ce serait elle qui se coltinerait la note). Elle s'achetait très peu de nouveaux vêtements, et les rares qu'elle s'offrait venaient de boutiques à prix cassés. Et puis, elle a commencé à forcer sur le vin. Pas qu'un peu, je précise. Certains soirs, elle picolait allègrement avec son amie Liz, la policière fan de Regis Thomas que j'ai déjà mentionnée. Le lendemain, maman se réveillait de mauvais poil et les yeux rouges, et elle traficotait en pyjama dans son bureau. Il lui arrivait même de fredonner une parodie de la chanson de Barbra Streisand : « *Crappy days are here again, the skies are fucking drear again.* » Ces jours-là, j'étais plutôt soulagé d'avoir école. Une école *publique*, cela va sans dire. Grâce à James Mackenzie, j'avais dû dire adieu aux établissements privés.

Malgré tout, quelques lueurs encourageantes se détachaient sur ce tableau assez noir. Le marché du livre rare partait peut-être à vau-l'eau, mais les gens se remettaient à lire des bouquins ordinaires, du divertissement et des ouvrages de développement personnel ; il faut dire qu'en 2009-2010, ils avaient bien besoin de solutions. Maman, qui adorait depuis toujours les romans policiers, avait commencé à étoffer sa pépinière d'auteurs dès qu'elle avait pris la direction de l'agence. Elle en suivait maintenant une bonne dizaine, peut-être un peu plus. Pas la crème de la crème, d'accord, mais les 15 % qu'ils lui versaient lui permettaient de payer le loyer et les factures.

Et puis, il y a eu Jane Reynolds, une bibliothécaire de Caroline du Nord. Son roman policier, *Dead Red*, est arrivé sans la moindre recommandation, mais maman a été follement emballée. Les droits se sont vendus aux enchères, tous les gros éditeurs sont entrés en lice et le bouquin est parti pour deux millions de dollars. Sur ces deux millions, on a touché trois cent mille dollars, et maman a retrouvé le sourire.

– Le retour à Park Avenue, ce n'est pas vraiment pour demain, on va encore galérer un moment pour se sortir du gouffre où nous a mis oncle Harry, mais on a des chances d'y arriver.

– Moi, j'ai pas envie de retourner à Park Avenue. Je me plais bien ici.

Maman m'a serré contre elle en souriant.

– Tu es mon petit trésor, tu sais. (Elle m'a fait reculer un peu pour mieux me regarder.) Pas si petit que ça, à force. Tu devines ce que j'espère ?

J'ai fait non de la tête.

– Que Jane Reynolds est le genre de nana qui pond un bouquin par an. Et que *Dead Red* sera adapté au cinéma. Bon, même si rien de tout ça ne se produit, on peut toujours compter sur notre bon vieux Regis Thomas. Le fleuron de notre couronne.

Malheureusement, *Dead Red* n'a été que le dernier rayon de soleil avant le déchaînement de la tempête. Le film n'a jamais vu le jour, et les éditeurs qui avaient misé sur le livre ont fait un gros flop, ce sont des choses qui arrivent. L'échec du bouquin n'a pas été dramatique pour nous – on avait reçu notre part –, mais les soucis se sont enchaînés, si bien que les trois cent mille dollars ont fondu comme neige au soleil.

Pour commencer, maman a chopé une sale infection des dents de sagesse, et elle a été obligée de les faire arracher. Grosse tuile. Là-dessus, ce boulet d'oncle Harry, qui n'avait pas encore cinquante ans, s'est débrouillé pour se casser la figure dans son centre de soins à Bayonne. Fracture du crâne. Énorme tuile.

Maman s'est adressée à un avocat – celui qu'elle consultait pour ses contrats, et qui rognait pour la peine une part substantielle des revenus de l'agence. Il l'a aiguillée vers un confrère spécialisé dans les affaires de responsabilité pour négligence, qui nous a assuré que notre dossier tenait la route. Peut-être bien, mais l'institution de Bayonne s'est déclarée en faillite avant qu'on ait eu la moindre chance de passer en justice. Dans cette histoire, l'unique gagnant a été notre coûteux spécialiste en accidents corporels, qui a empoché pas moins de quarante mille dollars d'honoraires.

— Cette facturation à l'heure, quelle saloperie, a dit ma mère à Liz, un soir où elles descendaient vaillamment leur deuxième bouteille de vin.

Elles ont rigolé toutes les deux, Liz parce que l'argent n'était pas le sien, maman parce qu'elle était beurrée. Moi, par contre, ça ne m'amusait pas du tout, je me rendais bien compte que le problème ne se limitait pas à la note de l'avocat : on était aussi dans l'obligation de payer les frais médicaux de mon oncle.

Et pour finir en beauté, le fisc a épinglé maman à cause des arriérés d'impôts d'oncle Harry, qui s'était permis de gruger l'Oncle Sam pour pouvoir claquer un peu plus d'argent chez Mackenzie. Résultat des courses, il ne nous restait que Regis Thomas. Le fleuron de notre couronne.

7

Voyons voir.

Nous sommes à l'automne 2009, Obama est président. L'économie remonte doucement la pente, mais pour nous ça reste très modéré. Je suis en classe de CM1 et Ms Pierce m'a appelé au tableau pour un exercice de fractions, parce que je suis une bête en calcul. Les pourcentages, par exemple, je les maîtrisais déjà à sept ans, n'oubliez pas que j'ai grandi avec un agent littéraire. Les autres gamins s'agitent à leur place, comme toujours pendant cette brève période un peu spéciale qui sépare Thanksgiving des vacances de Noël. Le problème est hyper-facile à résoudre, et je suis sur le point de conclure lorsque Mr Hernandez, l'adjoint de la directrice, passe la tête à la porte. Il échange quelques mots à voix basse avec Ms Pierce, puis la maîtresse me demande de sortir dans le couloir.

Ma mère m'attend dehors, blanche comme un verre de lait. Du lait écrémé, plus précisément. La première idée qui me vient à l'esprit, c'est que mon oncle Harry, à qui on a posé une plaque de métal sous le crâne pour protéger son cerveau inutile, vient juste de mourir. Ça paraît un peu glauque de dire ça, mais sa mort va réduire nos frais, et c'est plutôt positif. Je vérifie auprès de maman, mais il ne s'agit pas de ça, mon oncle va bien (il vit désormais dans un établissement de troisième zone à Piscataway, toujours plus à l'ouest comme un pionnier esquinté et bousillé du cerveau).

Avant que j'aie pu en placer une, maman m'entraîne énergiquement vers la sortie. Garé sur les bandes jaunes, dans la zone où les parents viennent récupérer leurs gamins, je vois un break Ford avec une rampe lumineuse sur le tableau de bord. À côté de la voiture, Liz Dutton dans sa parka bleue du NYPD.

Maman me presse d'avancer, mais je freine des quatre fers et il faut bien qu'elle s'arrête.

– Qu'est-ce qui se passe, à la fin ? Dis-le-moi !

Je ne pleure pas, mais c'est tout juste. Depuis nos embrouilles avec Mackenzie, les mauvaises nouvelles se sont accumulées, et je doute de pouvoir en encaisser une de plus. Pourtant, je n'ai pas le choix. Regis Thomas est mort. C'est ça, la nouvelle.

Notre couronne a perdu son fleuron.

8

Avant de poursuivre, il faut que je vous parle de Regis Thomas. D'après ma mère, la plupart des auteurs sont des spécimens aussi bizarres qu'une crotte fluorescente, et Mr Thomas ne dérogeait pas à la règle, c'est le moins qu'on puisse dire.

La Saga de Roanoke, comme il l'appelait, se composait de neuf volumes au moment de son décès, neuf énormes pavés qui faisaient dire à maman : « Ce vieux Regis ne lésine pas sur la quantité, au moins. » À l'âge de huit ans, j'ai piqué un exemplaire du premier tome, *Le Marais mortel de Roanoke*, sur les rayonnages du bureau, et je l'ai lu en entier. Jusque-là, pas de problème. J'étais aussi fort pour lire que pour calculer et voir les morts (si c'est la vérité, ce n'est pas de la vantardise, si ?). En plus, *Le Marais mortel* ne jouait pas vraiment dans la même catégorie que James Joyce.

Je n'insinue pas que le livre était mal écrit, loin de là : notre ami était doué pour raconter une histoire. De l'aventure en veux-tu en voilà, des tas de passages effrayants (surtout dans le marais mortel), la recherche d'un trésor enseveli, et une généreuse dose de SEXE. Avec ce livre, je crois que j'en ai appris beaucoup trop sur le 69 pour un garçon de huit ans. Il m'a aussi révélé autre chose, même si je n'ai fait le lien qu'après. Rapport à toutes les nuits où Liz restait dormir à la maison.

Les scènes de sexe revenaient toutes les cinquante pages, à peu près, il y en avait même une qui se passait dans un arbre, alors qu'une troupe d'alligators affamés grouillait au-dessous. *Cinquante nuances de Roanoke*, si vous voulez. Au début de l'adolescence, ce sont les romans de Regis Thomas qui m'ont inspiré mes premières branlettes, et tant pis pour vous si ce détail vous paraît de trop.

L'ensemble méritait bien le nom de « saga », puisqu'il développait une intrigue suivie qui mettait en scène des personnages récurrents. Des hommes baraqués à la crinière blonde et aux yeux rieurs, des traîtres au regard torve, de nobles Indiens qui deviendraient dans les derniers tomes de nobles Premiers Habitants, et des femmes splendides pourvues de seins fermes et haut perchés. Tout ce beau monde – héros, méchants et poitrines de rêve – était perpétuellement en chaleur.

Le cœur de la série, le ressort qui contribuait à fidéliser les lecteurs (au-delà des duels, de l'érotisme et des assassinats) était l'immense secret qui avait causé la disparition de la colonie tout entière. La faute en revenait-elle à George Threadgill, le méchant numéro un ? Les colons avaient-ils trouvé la mort ? Était-il vrai qu'une antique cité pleine de sagesse se cachait sous le site de Roanoke ? Quel sens donner à la phrase que prononçait Martin Betancourt en rendant son dernier souffle ? « Le temps est la clé de tout. » Et que signifiait réellement le mystérieux mot *croatoan* gravé sur un poteau du fort de la colonie abandonnée ?

Des millions de lecteurs brûlaient de connaître les réponses. Si, dans un futur éloigné, quelqu'un vient à s'en étonner, je lui conseille d'aller déterrer un bouquin de Judith Krantz ou de Harold Robbins. Ceux-là aussi, ils se vendaient par millions.

Les personnages de Regis Thomas offraient un exemple classique de projection compensatoire, ou de réalisation des fantasmes, si vous préférez. L'auteur, en effet, était un gringalet tout flétri dont on retouchait régulièrement la photo officielle, histoire d'atténuer sa ressemblance avec un vieux sac en cuir ridé. Il ne se déplaçait jamais à New York, c'était au-dessus de ses forces. Les héros qu'il inventait se frayaient un chemin à la machette dans des marais pleins de miasmes, se battaient en duel et se livraient à des prouesses sexuelles au clair de lune, mais lui-même souffrait d'agoraphobie et vivait tout seul, en célibataire endurci. À entendre ma mère, il se montrait incroyablement paranoïaque quand il s'agissait de ses travaux. Personne n'était autorisé à consulter ses manuscrits avant qu'il y ait mis la dernière main, et après le succès retentissant des deux premiers tomes, qui sont restés plusieurs mois en tête des ventes, il refusait même de soumettre son travail en cours aux réviseurs. Il exigeait qu'on publie son texte tel quel, sans modifier un seul mot de sa prose sacrée.

Même s'il ne faisait pas partie des auteurs qui sortent un livre par an – l'Eldorado des agents littéraires –, Thomas restait une valeur sûre. Il avait publié un titre de la série Roanoke tous les deux ou trois ans, les quatre premiers du temps de mon oncle Harry, et les cinq suivants après que ma mère avait repris l'agence. *La Revenante de Roanoke* avait été annoncée comme l'avant-dernier de la saga, et Thomas avait promis que le tome final répondrait à toutes les questions qui tracassaient ses fidèles lecteurs depuis les premières expéditions dans le marais mortel. Ce serait aussi le plus long de tous, il atteindrait peut-être les sept cents pages. (L'occasion pour l'éditeur d'augmenter d'un ou deux dollars le prix en librairie.) Pour la suite, il avait confié ses projets à ma mère, un jour où elle lui rendait visite dans sa propriété au nord de l'État de New York. Une fois bouclée la Saga de Roanoke, il avait prévu de se consacrer à une longue série sur le mystère de la *Mary Celeste*.

Tout allait pour le mieux dans le meilleur des mondes, jusqu'à ce que Thomas casse sa pipe devant son bureau, alors qu'il n'avait rédigé que trente pages de son *magnum opus*. Il avait déjà perçu une belle avance de trois millions qui incluait notre pourcentage, mais s'il n'y avait pas de manuscrit à la clé, l'argent serait bloqué, ou il faudrait le rembourser. C'est à moment-là que je suis entré en scène, vous vous en doutiez certainement.

Voilà pour la digression.

9

La voiture banalisée que conduisait Liz Dutton, je l'avais souvent vue garée devant notre immeuble, avec son macaron OFFICIER DE POLICE EN SERVICE derrière le pare-brise. Quand nous l'avons rejointe, Liz a soulevé un pan de sa parka pour me montrer son holster vide, une espèce de blague récurrente entre nous. « Pas d'arme à feu en présence de mon fils », telle était la règle non négociable que ma mère avait imposée. Liz, du coup, avait pris l'habitude de me faire voir son étui vide, que je trouvais fréquemment posé sur la table basse du salon. Ou sur la table de chevet dans la chambre de ma mère, du côté du lit qu'elle n'occupait pas. À neuf ans, je me faisais une idée assez claire de ce que ça impliquait. *Le Marais mortel de Roanoke* comprenait des scènes torrides entre Laura Goodhugh et Purity la mal nommée, veuve de Martin Betancourt.

– Qu'est-ce qu'elle fiche là, elle ?

Question sûrement malvenue en sa présence, voire franchement impolie, mais quoi, on venait juste de me sortir de classe en catastrophe, pour m'annoncer en prime que notre gagne-pain venait d'être supprimé.

– Monte vite, champion, m'a dit Liz. On est pressés.

(Elle m'appelait tout le temps « champion ».)

– J'ai pas envie, il y a des bâtonnets de poisson à la cantine.

– Pas question, on va se faire un Whopper-frites, plutôt. C'est moi qui invite.

– S'il te plaît, Jamie, a renchéri ma mère, monte dans la voiture.

Je me suis donc installé sur la banquette arrière. Deux ou trois emballages de Taco Bell traînaient sur le plancher, et l'odeur de l'habitacle m'a fait penser à du pop-corn au micro-ondes. Ça sentait aussi autre chose qui me rappelait nos visites à l'oncle Harry dans ses divers centres de soins, mais au moins il n'y avait pas de paroi grillagée pour isoler le conducteur de l'arrière, comme dans les séries policières que maman aimait regarder (elle avait un faible pour *The Wire*).

Ma mère est montée à l'avant et Liz a démarré, profitant du premier feu rouge pour allumer la rampe lumineuse de la voiture. Elle n'a pas branché la sirène, mais les flashs ont suffi à nous ouvrir un passage dans la circulation, et on est arrivés sur le périph' en un rien de temps.

Quand ma mère s'est tournée vers moi, l'expression de son visage m'a effrayé. Elle avait l'air aux abois.

– Dis-moi, Jamie, il y a des chances qu'il soit chez lui ? Je crois savoir que le corps a été transporté à la morgue ou dans un salon funéraire, mais il est peut-être encore là-bas, non ?

Je n'en avais pas la moindre idée, mais dans un premier temps, je ne l'ai pas dit. En fait, je n'ai rien dit du tout, j'étais complètement sonné. Et blessé, aussi. Peut-être même qu'il s'y mêlait de la rage, mais ça, je ne peux pas l'affirmer, je me souviens surtout de ma peine et de ma stupéfaction. Maman m'avait interdit de dire à quiconque que je pouvais voir les morts ; moi, j'avais obéi, et maintenant c'est elle qui vendait la mèche. Elle avait tout révélé à Liz, ce qui expliquait qu'elle soit avec nous, et qu'elle allume sa rampe lumineuse pour nous dégager le passage sur le Sprain Brook Parkway.

J'ai fini par demander à ma mère :

– Depuis quand elle est au courant ?

Liz m'a alors adressé un clin d'œil dans le rétroviseur, du style *on partage un secret, toi et moi.* Ça ne m'a pas plu du tout. Le secret, c'est avec maman que j'étais censé le partager.

Ma mère a tendu le bras pour m'attraper le poignet. Sa main était toute froide.

– Peu importe, Jamie, dis-moi juste si on a une chance de le trouver là-bas.

– Je pense que oui. Si c'est bien l'endroit où il est mort.

Maman a lâché mon poignet et incité Liz à accélérer, mais elle n'a pas été d'accord.

– Mauvaise idée. Il ne faudrait pas qu'une autre voiture de police nous colle au train, et qu'ils veuillent savoir pourquoi il y a urgence. Tu me vois leur répondre qu'on doit causer à un mec décédé avant qu'il disparaisse pour de bon ?

À sa façon de parler, j'ai deviné qu'elle ne croyait pas un traître mot de l'histoire de maman, elle tâchait seulement d'entrer dans son jeu. De prendre tout ça à la rigolade. Moi, ça ne me dérangeait pas. Quant à maman, je pense que l'opinion de

Liz ne lui faisait ni chaud ni froid, du moment qu'elle nous conduisait à Croton-on-Hudson.

– Fais aussi vite que possible, alors.

– Bien reçu, Tee-Tee.

Je trouvais qu'il sonnait mal, ce surnom de Tee-Tee, certains élèves de ma classe faisaient un petit bruit du même genre pour signaler qu'ils devaient aller aux toilettes. Mais ma mère s'en fichait, manifestement. Ce jour-là, on l'aurait appelée Jessica Rabbit qu'elle n'aurait pas bronché.

– Il y a ceux qui savent garder un secret, et puis il y a les autres.

C'était sorti tout seul, preuve que j'étais furieux, tout compte fait.

– Tais-toi, ce n'est vraiment pas le moment de me faire la tête.

J'ai protesté d'un air boudeur.

– C'est pas vrai, je fais pas la tête.

Ma mère était proche de Liz, je le savais bien, mais il ne fallait pas qu'elle compte plus que moi. Elle aurait pu au moins me demander mon avis, au lieu de trahir notre plus grand secret derrière mon dos, une nuit ou Liz et elle avaient gravi ensemble « les degrés de la passion », pour citer Regis Thomas.

– Je vois bien que tu es contrarié, lascar, et plus tard tu pourras m'engueuler tant que tu voudras. Mais dans l'immédiat, j'ai besoin de toi.

J'ai eu l'impression qu'elle avait oublié sa copine, mais je voyais les yeux de Liz dans le rétroviseur, et il était bien clair qu'elle n'en perdait pas une miette.

Maman me faisait un peu peur, à force.

– Hé, du calme, maman. C'est d'accord.

Elle a passé la main dans ses cheveux, en tirant sur sa frange pour faire bonne mesure.

– C'est tellement injuste. Tout ce qu'on a subi... ce qu'on subit encore maintenant. Quel putain de merdier ! (Elle s'est penchée pour ébouriffer mes cheveux.) Tu n'as rien entendu, OK ?

– Si, j'ai tout entendu.

J'avais répondu sous le coup de la colère, mais sur le fond maman n'avait pas tort. Vous vous rappelez ma remarque, comme quoi j'ai vécu dans un roman de Dickens, les gros mots en plus ? Je vais vous dire ce qui plaît aux gens dans ce genre de bouquin : ils sont trop contents que cette avalanche de merde tombe sur la tête de quelqu'un d'autre.

– Depuis deux ans, a repris ma mère, je jongle sans cesse avec les factures, et j'ai toujours assuré. Il m'est arrivé de sacrifier les petites pour payer les grosses, ou de laisser tomber une grosse pour régler un paquet de petites, mais on ne nous a jamais coupé l'électricité, et on a toujours eu à manger. Tu me suis ?

– Ouais, ouais, ouais.

J'espérais obtenir un sourire, mais non.

– Mais maintenant... (Elle a encore tiré sur sa frange, et les mèches sont restées collées ensemble.) J'ai un tas d'échéances qui me tombent dessus en même temps, avec ces foutus Sévices Fiscaux en tête de la meute. Je suis dans le rouge jusqu'au cou, et je comptais sur Regis pour me sauver la mise. Et voilà que ce pauvre connard vient de casser sa pipe ! À cinquante-neuf ans ! Personne ne meurt à cinquante-neuf ans, à part les obèses et les toxicomanes !

– Ou les gens qui ont le cancer ?

Maman a reniflé en tirant sur sa malheureuse frange.

– On se calme, Tee, a murmuré Liz.

Elle a posé une main sur son cou, mais je crois que maman ne l'a même pas remarqué.

– Ce livre pouvait nous sauver. À condition d'être livré entier, évidemment. (Elle a éclaté de rire, tellement fort que j'ai stressé encore plus.) Je sais qu'il n'a rédigé que deux ou trois chapitres, et personne d'autre n'est au courant. Avant, il n'acceptait de parler qu'à Harry, et depuis que mon frère est malade, il ne parle qu'à moi. Tu comprends, Jamie, il ne faisait pas de plan d'ensemble et il ne prenait pas non plus de notes, soi-disant que ça étouffait sa créativité. De toute façon, il n'en avait pas besoin. Il savait exactement où il allait.

De nouveau, elle m'a saisi le poignet, en le serrant si fort que j'ai eu des bleus. Je m'en suis aperçu après coup, dans la soirée.

– Peut-être qu'il n'a pas encore oublié.

10

On s'est arrêtés au drive du Burger King de Tarrytown, et j'ai eu le Whopper qu'on m'avait promis. Plus un milkshake parfum chocolat. Maman n'était pas très chaude pour faire une pause, c'est Liz qui a insisté.

– Ton fils est en pleine croissance, Tee. Tu n'as peut-être pas faim, mais lui, il a la dalle.

J'ai apprécié qu'elle me défende, et j'avais encore d'autres raisons d'aimer Liz. À côté de ça, il y avait des choses qui me déplaisaient, chez elle. Et pas des petits détails. J'y viendrai plus tard, il le faudra bien – pour l'instant, je me contenterai de dire qu'Elizabeth Dutton, inspectrice de deuxième classe au New York Police Department, m'inspirait des sentiments mitigés.

Je dois quand même rapporter une remarque qu'elle a faite avant qu'on arrive à Croton-on-Hudson. Sur le moment, elle est passée dans la conversation sans qu'on s'y attarde, ça n'a pris de l'importance que bien après. (Eh oui, encore ce mot...) Thumper avait fini par tuer quelqu'un – voilà ce qu'a dit Liz.

Ces dernières années, l'individu qui se donnait le nom de Thumper apparaissait de temps à autre aux nouvelles régionales, surtout sur NY1, la chaîne que ma mère regardait très souvent en préparant le dîner. Si l'actualité était particulièrement intéressante, elle continuait pendant le repas. Le « règne de la terreur » (merci NY1) imposé par Thumper avait déjà commencé avant ma naissance, et ce type était plus ou moins devenu une légende urbaine, au même titre que Slenderman ou l'Homme au Crochet. Dans une version plus explosive, bien sûr.

– Qui ça ? ai-je voulu savoir. Il a tué qui ?

Et maman a demandé :

– On est bientôt arrivés ?

Thumper, ce n'était pas son problème, elle avait d'autres chats à fouetter.

Ignorant ma mère, Liz s'est adressée à moi :

– Quelqu'un qui a eu la mauvaise idée d'utiliser un des rares téléphones publics qu'il reste dans Manhattan. D'après la Brigade des Explosifs, la bombe est partie dès qu'il a soulevé le combiné. Deux bâtons de dynamite...

Maman lui a coupé la parole :

– On est vraiment obligés d'en parler ? Et puis merde, pourquoi on se tape tous les feux rouges, à la fin ?

Liz ne s'est pas découragée pour si peu.

– Deux bâtons de dynamite scotchés sous le petit rebord où on pose ses pièces, tu sais. Ce salopard de Thumper est plein de ressources, on ne peut pas lui enlever ça. Ils vont mettre sur pied une nouvelle unité spéciale, la troisième depuis 1996, et j'ai l'intention de postuler. J'ai fait partie de la précédente, ça augmente mes chances. Et j'ai l'habitude des heures sup.

– Vas-y, c'est vert, l'a pressée maman.

Liz a redémarré.

11

J'étais en train de finir mes frites (tant pis si elles avaient refroidi) quand on a bifurqué dans une petite impasse appelée Cobblestone Lane. D'après son nom, elle aurait dû être pavée, mais elle était couverte de bitume bien lisse. La maison qui se trouvait au bout portait le nom de Cobblestone Cottage. Une énorme bâtisse en pierre avec des volets en bois sculpté et de la mousse sur le toit. Oui, de la mousse. C'est dingue, non ? La grille n'était pas fermée, et plusieurs pancartes étaient fixées aux pilastres en pierre grise, de la même couleur que la maison. L'une d'elles indiquait DÉFENSE D'ENTRER, NOUS EN AVONS ASSEZ DE CACHER LES CORPS. Sur une autre, un berger allemand montrait les crocs au-dessus de la légende : ATTENTION CHIEN FÉROCE.

Liz a consulté ma mère du regard, l'air perplexe.

— Rassure-toi, le seul corps que Regis a enterré est celui de sa perruche, Francis. Il avait choisi son nom en hommage à Francis Drake, l'explorateur. Et il n'a jamais eu de chien.

— À cause de son allergie, ai-je complété depuis la banquette arrière.

Liz s'est rapprochée de la maison avant d'éteindre sa rampe lumineuse.

— Le garage est fermé et je ne vois aucune voiture. Il y a quelqu'un, ici ?

— Non, c'est sa gouvernante qui l'a trouvé. Mrs Quayle. Davina. À part elle, il n'employait qu'un jardinier à temps partiel. Très gentille, cette femme. Elle m'a prévenue juste après avoir appelé les secours. Quand elle a mentionné l'ambulance, je me suis demandé s'il était vraiment mort, mais elle pouvait affirmer que oui, vu qu'elle a travaillé dans une maison de retraite avant d'être engagée par Regis. Elle préférait quand même qu'on l'emmène à l'hôpital. Elle m'a paru affolée, alors je lui ai conseillé de rentrer chez elle dès qu'ils seraient venus chercher le corps. Davina m'a aussi parlé de Frank Wilcox – l'administrateur de Regis – et j'ai promis de le contacter. Je vais m'en occuper, bien entendu, mais la dernière fois que j'ai discuté avec Regis, il m'a dit que Frank était en Grèce avec sa femme.

— Et la presse ? a fait Liz. C'était quand même un auteur de best-sellers.

— Mon Dieu, je ne sais pas du tout... (Maman a jeté à la ronde un regard paniqué, comme si elle s'attendait à trouver des journalistes embusqués derrière les buissons.) En tout cas, je n'en vois pas.

— Ils n'ont peut-être pas appris la nouvelle, a suggéré Liz. Et même s'ils se sont rencardés grâce à la radio de la police, ils vont d'abord se lancer aux trousses des flics et de l'ambulance. Le corps n'est pas ici, du coup, ça ne les intéresse pas. On a du temps devant nous, essaie de te détendre.

– Tu rigoles, ou quoi ? Je suis à deux doigts de la faillite, mon frère risque de passer trente ans de plus dans une institution, et mon gamin aura peut-être envie d'aller à la fac. Alors, franchement, je n'ai aucune bonne raison de me détendre. Jamie, est-ce que tu le vois quelque part ? Tu sais à quoi il ressemble, hein ? Allez, dis-moi que tu le vois.

– Je sais à quoi il ressemble, mais je ne le vois nulle part.

Avec un gémissement d'impuissance, maman a mis une claque sur sa pauvre frange décoiffée.

Quand j'ai voulu sortir de voiture, j'ai été bien attrapé : il n'y avait pas de poignée à l'arrière, Liz a dû m'ouvrir la portière de l'extérieur.

– Va frapper à la porte, a-t-elle demandé à ma mère. Si personne ne répond, on passera de l'autre côté, et on fera la courte échelle à Jamie pour qu'il puisse regarder à l'intérieur.

C'était une solution envisageable, puisque les volets étaient restés ouverts. Ils étaient ornés d'un tas de fioritures compliquées sculptées dans le bois. Quand ma mère s'est précipitée vers la porte d'entrée, je me suis retrouvé seul avec Liz.

– Allez, champion, tu n'es pas sérieux quand tu dis que tu peux voir les morts, comme le gamin du film, si ?

Ça m'était bien égal qu'elle me croie ou non, mais le ton de sa voix m'a fichu en rogne. On aurait dit qu'elle prenait tout ça pour une grosse blague.

– Maman t'a raconté, pour les bagues de Mrs Burkett, non ?

Liz a haussé les épaules.

– C'était peut-être un coup de bol, rien de plus. Dis-moi, tu n'as pas vu de morts pendant qu'on roulait en voiture ?

J'ai répondu que non, mais parfois, c'est difficile à définir tant qu'on n'a pas essayé de leur parler. Ou tant qu'ils ne vous adressent pas la parole... Un jour où je prenais le bus avec maman, j'ai vu une fille avec des entailles aux poignets si profondes qu'elles ressemblaient à des bracelets rouges. Je crois bien qu'elle était morte, celle-là, même si elle était loin d'être aussi dégueulasse que le type de Central Park. Ce jour-là, j'avais remarqué en sortant de la ville une vieille femme en peignoir rose, plantée à l'angle de la 8e Avenue. Quand le feu a été vert pour les piétons, elle est restée là, le nez au vent, comme une touriste. Elle avait des bigoudis dans les cheveux. Peut-être qu'elle était morte, elle aussi, ou alors elle errait simplement dans les rues comme c'était arrivé à oncle Harry, peu avant que maman se décide à le placer dans un établissement spécialisé. À partir du moment où il avait fait ça – parfois il sortait même en pyjama –, ma mère avait renoncé à croire que son état pouvait s'améliorer.

— Les voyantes y vont toujours au hasard, tu sais, a insisté Liz. Tu connais le dicton ? Même une horloge arrêtée donne la bonne heure deux fois par jour.

— Ton idée, c'est que maman est cinglée, et que moi, je la soutiens dans son délire ?

— On appelle ça un facilitateur, a-t-elle répliqué en riant. Non, champion, ce n'est pas du tout ce que je pense. À mon avis, ta maman est perturbée et elle se raccroche à n'importe quoi. Tu vois ce que je veux dire ?

— Ouais, c'est bien ça. Elle est cinglée.

Liz a nié de nouveau, encore plus énergiquement.

– Elle subit un stress énorme, je le comprends tout à fait. Mais tu ne lui rends pas service en inventant des salades. Et ça, c'est à toi de le comprendre, j'espère que tu en es capable.

Maman nous a rejoints à ce moment-là.

– Personne ne répond, et la porte est fermée à clé. J'ai vérifié.

– Tant pis, on va tenter les fenêtres.

Aussitôt, nous avons fait le tour de la maison. La salle à manger avait des portes-fenêtres, alors je n'ai eu aucun mal à regarder à l'intérieur, par contre j'étais trop petit pour les autres ouvertures – Liz a été obligée de me faire la courte échelle. J'ai vu un immense salon avec un grand écran de télé et une foule de meubles ; une salle à manger dont la table aurait pu accueillir toute une équipe de baseball et même les remplaçants, un comble de la part d'un misanthrope comme Regis. Il y avait aussi une pièce que maman a appelée le « petit salon », et une cuisine située sur l'arrière. Mais Mr Thomas n'était visible nulle part.

– Il est peut-être à l'étage, alors. Je n'y suis jamais montée, mais s'il est mort dans son lit, ou dans la salle de bains... il se peut qu'il y soit encore...

– Je doute qu'il soit mort sur le trône, comme Elvis, mais bon, ce n'est pas totalement exclu, a répondu Liz.

Ça m'avait toujours amusé, qu'on dise « le trône » à la place des « toilettes », et j'ai éclaté de rire. En voyant la tête de ma mère, je me suis arrêté net. La situation était grave, et elle commençait à perdre espoir. Découvrant que la porte de la cuisine était elle aussi verrouillée, maman s'est tournée vers Liz :

– On pourrait éventuellement...

– N'y pense même pas, Tee. Pas question d'entrer par effraction. J'ai déjà assez de problèmes avec ma hiérarchie, je ne vais pas risquer en plus de déclencher l'alarme d'un célèbre écrivain décédé. Qu'est-ce que je raconterais aux mecs de la Brinks, ou aux flics du coin ? Tiens, en parlant des flics... Tu m'as bien dit que Thomas était seul au moment de sa mort ? C'est sa gouvernante qui l'a trouvé ?

— Mrs Quayle, en effet. Elle m'a téléphoné, tu le sais déjà...

— La police voudra forcément l'interroger. Elle est sûrement déjà en train de le faire, d'ailleurs. À moins que ce soit le médecin légiste qui s'en charge. Je ne sais pas trop comment la police procède dans le comté de Westchester.

— Tu dis ça parce que Regis est connu ? Tu n'imagines quand même pas qu'ils suspectent un assassinat ?

— Non, c'est seulement la procédure habituelle. Bon, la célébrité y est pour quelque chose, c'est vrai. Bref, j'aimerais autant qu'on soit loin quand ils rappliqueront.

Maman a eu l'air accablée.

— Tu ne vois rien, Jamie ? Aucun signe de lui ?

J'ai secoué la tête, maman a regardé Liz avec un soupir.

— On peut inspecter le garage, quand même ?

Liz a haussé les épaules, l'air de dire : *À toi l'honneur.*

— Qu'est-ce que tu en penses, Jamie ?

Je ne voyais pas trop pour quelle raison Mr Thomas aurait traîné dans son garage, mais pourquoi pas, après tout... Il était peut-être attaché à une de ses voitures.

— Tant qu'à être là, on peut toujours essayer.

En route vers le garage, je me suis arrêté brusquement. Derrière la piscine vide de Mr Thomas débouchait une allée gravillonnée. Des arbres la bordaient, mais comme ils avaient perdu beaucoup de feuilles à l'automne, j'apercevais à travers les branches un petit bâtiment peint en vert. J'ai demandé en le montrant du doigt :

– C'est quoi, ça ?

Maman s'est encore donné une claque en plein front. À force de la voir faire ce geste, j'avais peur qu'elle se provoque une tumeur au cerveau.

– Mon Dieu ! *La petite maison dans le bois !*[*1] Pourquoi n'y ai-je pas pensé plus tôt ?

– Qu'est-ce que c'est ?

– Son bureau ! L'endroit où il écrit ! S'il est quelque part, c'est sûrement là. Allez, viens !

Elle m'a empoigné pour me faire contourner la piscine en vitesse, du côté le moins profond du bassin. J'ai pilé net en arrivant à l'entrée du petit chemin. Maman fonçait toujours, et si Liz ne m'avait pas rattrapé par l'épaule, je me serais sans doute étalé en beauté.

– Maman ! *Maman !*

Ma mère s'est tournée vers moi, elle avait l'air à bout de patience. Et c'est un euphémisme – à moitié cinglée me paraît plus juste. Liz est intervenue :

– Il faut que tu te calmes, Tee. On va regarder dans la cabane, et ensuite on ferait bien de partir.

– *Maman !*

---

1. Les mots et expressions en italique accompagnés d'un astérisque sont en français dans le texte original. (*Toutes les notes sont de la traductrice.*)

Sans même me répondre, ma mère a commencé à pleurer, ce qui se produisait très, très rarement. Elle n'avait même pas versé une larme en découvrant la somme que lui réclamait le fisc, elle les avait juste traités de salopards de vampires en tapant du poing sur sa table de travail. Mais cette fois, elle pleurait bel et bien.

— Va-t'en si ça te chante. Nous, on ne bouge pas d'ici tant que Jamie n'est pas certain que c'est foutu. À tes yeux, il se peut que tout ça ne soit qu'une petite sortie distrayante, du genre je fais plaisir à l'autre folle…

— Tu exagères !

— … mais c'est ma vie qui est en jeu !

— Je sais bien…

— Et la vie de Jamie, aussi.

— MAMAN !

Une des pires choses quand on est gamin – peut-être même la pire de toutes –, c'est la façon qu'ont les adultes de vous ignorer pendant qu'ils se noient dans leurs conneries.

— MAMAN ! LIZ ! Vous allez vous taire, toutes les deux ?

Silence immédiat. Leurs regards se sont tournés vers moi. Pour vous donner une idée du tableau : deux femmes et un petit garçon dans son sweat à capuche des METS, au bord d'une piscine vide par une journée grise de novembre.

J'ai désigné l'allée gravillonnée qui menait à la maisonnette dans les bois, là où Mr Thomas écrivait ses romans sur Roanoke.

— Il est juste là.

12

Il marchait vers nous, ce qui ne m'a pas étonné. Les premiers temps, la plupart d'entre eux, pas tous mais la majorité, sont attirés par les vivants comme les insectes par la flamme d'une bougie antimoustique. La comparaison est horrible, sans doute, mais je n'en ai pas trouvé d'autre. Même si je n'avais pas su qu'il était mort, je l'aurais deviné tout de suite, à cause de ses vêtements. Malgré le froid, il ne portait qu'un short flottant, un T-shirt blanc uni et ces espèces de nu-pieds à brides que maman appelle des « sandales à la Jésus ». J'ai noté aussi un détail curieux, dans sa tenue : une ceinture jaune à laquelle était fixée une cocarde bleue.

J'ai décidé d'ignorer Liz, qui soutenait à ma mère que je faisais semblant, qu'il n'y avait absolument personne. Je me suis arraché à l'étreinte de maman et je suis allé à la rencontre de Mr Thomas. Il s'est immobilisé en me voyant.

– Bonjour, Mr Thomas. Je suis Jamie Conklin, le fils de Tia. On ne se connaît pas encore.

Derrière moi, Liz a protesté, et maman lui a ordonné de la fermer. Pourtant son scepticisme a dû déteindre sur elle, parce qu'elle m'a demandé si Mr Thomas était vraiment là.

Je n'ai pas daigné lui répondre, intrigué par la ceinture de Mr Thomas. Celle qu'il portait au moment de sa mort.

– J'étais devant mon bureau, m'a-t-il expliqué. Je mets toujours ma ceinture pour écrire. C'est mon porte-bonheur.

– D'où elle vient, cette cocarde bleue ?

– C'est mon Prix d'Orthographe, que j'ai obtenu en sixième. J'ai battu des gamins venus d'une vingtaine d'écoles différentes. Pour les championnats de l'État, ce n'est pas moi qui ai gagné, mais j'ai été vainqueur au niveau régional. Ma mère m'a fabriqué cette ceinture, et elle a épinglé la cocarde dessus.

Personnellement, je trouvais un peu bizarre qu'il porte encore cette ceinture : dans le cas de Mr Thomas, la sixième remontait minimum à la préhistoire. Lui, ça n'avait pas l'air de le gêner, il m'a raconté tout ça le plus naturellement du monde. Les morts ressentent quelquefois de l'amour (rappelez-vous le baiser de Mrs Burkett sur la joue de son mari), il arrive aussi qu'ils éprouvent de la haine (je l'apprendrais bien assez tôt), mais il semblerait que presque toutes les autres émotions s'évanouissent avec la mort. Même l'amour, je ne l'ai jamais trouvé très puissant chez eux. Malheureusement, la haine résiste mieux et dure plus longtemps. Je crois que si certaines personnes peuvent voir des fantômes (qui sont différents des morts), c'est parce qu'ils sont remplis de haine. Et ce n'est pas pour rien que les gens en ont peur.

J'ai reporté mon attention sur ma mère et sur Liz.

– Maman, tu sais pourquoi Mr Thomas porte une ceinture quand il écrit ?

Elle a ouvert de grands yeux.

– Il l'a raconté dans une interview pour le *Salon*, il y a cinq ou six ans. Est-ce qu'il la porte actuellement ?

– Ouais. Il y a une cocarde bleue dessus, celle...

– Du championnat d'orthographe ! Il en riait pendant l'entretien, il l'appelait sa petite manie ridicule.

– Peut-être bien, a objecté Mr Thomas, mais la plupart des auteurs ont leurs manies et leurs superstitions ridicules. Tu vois, Jimmy, ça nous fait un point commun avec les joueurs de base-ball. Personne n'irait me contredire – j'ai quand même eu neuf titres classés parmi les best-sellers du *New York Times*.

– Je m'appelle Jamie, pas Jimmy.

– Tee, a coupé Liz, tu as dû parler de cet entretien à Jamie. C'est la seule explication. À moins qu'il l'ait lu tout seul, c'est un super bon lecteur. Il était au courant, c'est tout...

– Tais-toi, lui a lancé ma mère d'un ton farouche.

Liz a levé les mains, comme pour rendre les armes, tandis que maman me rejoignait pour regarder avec moi le bout de chemin gravillonné. À ses yeux, il n'y avait personne, bien entendu. Pourtant, Mr Thomas se tenait pile devant elle, les mains dans les poches. Son short étant très lâche, j'espérais qu'il ne pousserait pas trop sur ses fonds de poche, parce que j'avais la nette impression qu'il ne portait rien dessous.

– Dis-lui ce que tu dois lui dire !

J'étais censé lui expliquer qu'on avait besoin de son aide, faute de quoi, notre fragile équilibre financier se romprait comme une mince plaque de glace, nous plongeant dans un océan de dettes. Je devais préciser que certains auteurs, informés de nos soucis, avaient déjà abandonné l'agence, redoutant une faillite prochaine. « Les rats quittent le navire en détresse », avait commenté ma mère après trois ou quatre verres de vin, un soir où Liz n'était pas restée dormir.

Tout ce bla-bla était bien superflu, en définitive. Tant qu'ils n'ont pas disparu, les morts sont obligés de répondre aux questions, et ils doivent dire la vérité. Ce qui m'a permis d'aller droit au but.

— Maman veut savoir ce que raconte *Le Secret de Roanoke*. Connaître l'histoire en entier, quoi. Vous, Mr Thomas, vous la connaissez, non ?

— Évidemment.

Il a enfoncé ses mains dans ses poches, me révélant la ligne poilue qui partait de son nombril. Je me serais bien dispensé du spectacle, mais tant pis.

— Avant d'écrire quoi que ce soit, je tiens toujours l'ensemble de l'histoire.

— Et vous gardez tout dans votre tête ?

— Bien obligé. Sinon, quelqu'un pourrait me la voler. La diffuser sur Internet et gâcher le suspense.

Vivant, il aurait eu l'air d'un vrai paranoïaque. Maintenant qu'il était mort, il se bornait à énoncer un fait, ou ce qu'il considérait comme tel. Et il n'avait peut-être pas tort, dans le fond. Les trolls du Web n'arrêtaient pas de balancer des infos sur les réseaux, qu'il s'agisse de scandales politiques sans intérêt ou de trucs vraiment passionnants, comme le dénouement de la série *Fringe*.

Liz nous a laissés là pour aller s'asseoir un peu plus loin, sur un banc près de la piscine, et elle a allumé une cigarette, les jambes croisées. Manifestement, elle avait décidé de confier les clés de l'asile aux malades. Pas de problème, ça me convenait. Liz ne manquait pas de qualités, mais ce jour-là, elle me gênait plus qu'autre chose.

J'ai dit à Mr Thomas :

– Maman veut que vous me racontiez tout. Ensuite, je lui ferai un compte rendu, et c'est elle qui écrira le dernier tome de *Roanoke*. Elle fera croire que vous lui aviez remis presque tout le livre avant de mourir, avec des notes sur les deux derniers chapitres.

De son vivant, Regis Thomas aurait poussé les hauts cris à l'idée que quelqu'un d'autre puisse terminer un de ses romans. Son travail était toute sa vie, et il en était extrêmement jaloux. Mais à présent qu'une partie de lui reposait sur une table d'autopsie, avec son short en toile et la ceinture jaune qui l'avait accompagné jusqu'à sa dernière ligne, la version qui se tenait devant moi ne se souciait plus de protéger ses secrets. Il a simplement demandé :

– Elle en est capable ?

Pendant le trajet, maman nous avait assuré, à Liz et à moi, qu'elle se sentait à la hauteur. Regis Thomas avait beau refuser qu'un quelconque réviseur dénature la moindre de ses précieuses phrases, elle corrigeait ses manuscrits à son insu depuis des années. Déjà à l'époque où oncle Harry avait toute sa tête et dirigeait encore l'agence. Ces modifications n'étaient pas négligeables, mais Thomas n'en avait rien su. En tout cas, il n'avait jamais protesté. S'il existait une personne au monde capable d'imiter le style de Regis Thomas, c'était bien ma mère. L'écriture ne serait pas un souci, c'était l'intrigue qui posait problème.

– Oui, ai-je affirmé, elle peut y arriver.

J'en suis resté là, c'était trop compliqué d'entrer dans les détails.

Mr Thomas a pointé le doigt vers Liz.

– Et l'autre femme, qui est-ce ?

– L'amie de ma mère. Elle s'appelle Liz Dutton.

Liz a levé la tête un instant, avant d'allumer une nouvelle cigarette.

– Et ta mère baise avec elle ?

– Ouais, y'a de fortes chances.

– Je l'ai deviné, rien qu'à leur manière de se regarder.

– Qu'est-ce qu'il a dit ? a coupé maman avec impatience.

– Il voulait savoir si Liz était une amie proche.

Un peu bancale, ma réponse, mais sur le moment je n'ai rien trouvé de plus brillant.

– Alors, vous voulez bien nous raconter *Le Secret de Roanoke* ? Enfin, l'histoire en entier, je veux dire, pas seulement le secret lui-même.

– Oui.

J'ai prévenu maman qu'il acceptait, et elle a sorti de son sac son téléphone et un petit magnétophone numérique. Pas question de rater un seul mot.

– Dis-lui bien de donner un maximum de détails.

– Maman vous demande…

– J'ai entendu. Je suis mort, pas sourd.

Son short était encore descendu d'un cran.

– Super. Excusez-moi, Mr Thomas, mais je crois que vous devriez remonter votre short. Pour éviter les frissons dans le caleçon.

Il a tiré son short sur ses hanches aux os saillants.

– Ah bon, il fait froid ? Moi, je ne sens rien. (Et il a enchaîné d'un ton égal :) Tia a pris un coup de vieux, Jimmy.

Je n'ai pas pris la peine de le corriger sur mon prénom. Au lieu de ça, j'ai regardé ma mère, et c'était vrai. Mince, elle avait vieilli. Pas beaucoup, mais quand même. Je ne m'en étais jamais aperçu.

– Racontez-nous l'histoire. En commençant par le commencement.

– Par où veux-tu que je commence, enfin ?

13

Il nous a fallu pas moins d'une heure et demie, et j'étais essoré quand on est arrivés au bout. Maman aussi, je crois. Mr Thomas, lui, avait toujours la même allure, planté devant nous avec son short qui glissait et cette ceinture jaune un brin pathétique qui retombait sur son gros ventre.

Heureusement, Liz a eu l'idée d'aller garer la voiture devant le portail en laissant la rampe lumineuse allumée : la nouvelle du décès de Mr Thomas avait commencé à circuler, et quelques curieux débarquaient déjà pour prendre des photos de Cobblestone Cottage. Quand Liz nous a rejoints pour demander si on aurait bientôt fini, maman l'a renvoyée d'un geste en lui conseillant d'inspecter le reste de la propriété. Mais elle est surtout restée pas très loin de nous.

Une pression énorme s'ajoutait à la fatigue, étant donné que notre avenir dépendait du roman de Regis Thomas. À neuf ans, je trouvais injuste de porter sur mes épaules une telle responsabilité, mais je n'avais pas le choix. Il a fallu que je répète à ma mère – ou à ses appareils d'enregistrement – tout ce que me disait Mr Thomas, et Dieu sait qu'il avait des choses à raconter. Il avait tout en tête, ce n'était pas de la frime. Et maman posait des tas de questions, surtout pour éclaircir des points de détail. Apparemment, Mr Thomas le prenait bien (tout semblait lui indifférer, en fait), mais moi ça commençait à me gonfler sérieusement, cette façon de rallonger la sauce. D'autant plus que j'avais la gorge ultra-sèche. Quand Liz m'a donné le reste de son Coca du Burger King, je l'ai englouti d'un trait avant de la serrer dans mes bras.

– Merci, ça m'a fait du bien, lui ai-je dit en lui rendant le gobelet en carton.

– Avec grand plaisir.

Liz semblait pensive, à présent, elle n'avait plus l'air de s'ennuyer. Certes, elle ne pouvait pas voir Mr Thomas, et je doute qu'elle ait cru totalement à sa présence ; malgré tout, elle savait qu'il se passait *quelque chose*, parce qu'elle venait d'entendre un enfant de neuf ans dérouler une intrigue complexe impliquant cinq ou six protagonistes, et deux bonnes douzaines de personnages secondaires. Sans oublier une scène de sexe à trois (sous l'influence du phalaris bulbeux fourni par d'obligeants Indiens Nottoway) réunissant Martin Betancourt, sa femme Purity et Laura Goodhugh. Laquelle tombait enceinte, finalement. Cette pauvre Laura, elle héritait toujours des emmerdes.

Pour conclure, Mr Thomas nous a dévoilé le grand secret de Roanoke, et j'avoue que c'était une pépite dans son genre. Mais je ne vous dirai rien, vous n'avez qu'à lire le livre. Si ce n'est pas déjà fait, bien entendu.

– Et voici la dernière phrase, a-t-il annoncé. (Il paraissait toujours aussi frais, quoique ce mot convienne assez mal à un mort. Seule sa voix avait commencé à s'affaiblir. Un tout petit peu.) Il faut savoir que c'est ce que j'écris toujours en premier. La balise qui guide ma barque.

J'ai averti maman que la dernière phrase arrivait.

— Dieu merci, a-t-elle soufflé.

Mr Thomas a levé un doigt, comme un acteur classique sur le point d'entamer sa grande tirade.

— *Ce jour-là, un soleil rouge se leva sur la colonie désertée, éclairant comme une sanglante enluminure le mot « croatoan » gravé dans le bois, énigme pour les générations à venir.* Attention, dis-lui bien « CROATOAN » en majuscules.

Je me suis exécuté (même si je ne comprenais pas « sanglante enluminure »), puis j'ai demandé à Mr Thomas s'il avait bien terminé. À l'instant où il me le confirmait, une sirène a retenti brièvement, deux graves et un aigu.

— Mince, ça y est, a fait Liz.

Elle ne s'affolait pas pour autant, ayant anticipé leur venue. Elle a ouvert sa parka pour exhiber l'insigne fixé à sa ceinture et est allée à la rencontre des flics, devant la maison.

Liz n'a pas tardé à revenir, accompagnée de deux officiers qui portaient des blousons de la police de Westchester.

— Vingt-deux, v'là les flics, a lancé Mr Thomas en les voyant.

Une expression dont le sens m'échappait — maman m'a expliqué plus tard que c'était de l'argot des années cinquante.

— Voici mon amie Ms Colkin, leur a dit Liz. Elle était l'agent de Mr Thomas, et elle m'a priée de la conduire ici. Elle craignait que des gens ne profitent de l'occasion pour venir voler des souvenirs.

– Ou des manuscrits, a achevé ma mère. (Le petit magnétophone était bien à l'abri dans son sac, et son portable dans une poche de son jean.) En particulier le dernier tome de sa série en cours.

Liz l'a alertée d'un regard qui disait : *N'en jette plus*, mais maman a jugé bon de s'étendre.

– Il venait tout juste de le terminer, et des millions de lecteurs sont impatients de le découvrir. J'ai donc estimé qu'il était de mon devoir de leur garantir cette possibilité.

De toute évidence, les flics s'en fichaient éperdument, ils n'étaient venus que pour inspecter l'endroit où Mr Thomas était décédé. Et s'assurer par la même occasion que les personnes repérées sur la propriété avaient bien le droit d'être là.

– Je crois qu'il est décédé dans son bureau, a indiqué maman en montrant du doigt *La Petite Maison**.

– Oui, c'est ce qu'on nous a dit. On vérifiera ça. (Le flic a dû se pencher, mains sur les genoux, pour se trouver à ma hauteur. À cet âge-là, j'avais le format crevette.) Comment tu t'appelles, bonhomme ?

– James Conklin. (Et j'ai précisé avec un regard appuyé à Mr Thomas.) *Jamie*. Elle, c'est ma mère.

J'ai pris maman par la main.

– Tu sèches l'école pour la journée, Jamie ?

Avant que j'aie pu répondre, ma mère a glissé de son ton le plus suave :

– En général, c'est moi qui vais l'attendre à la sortie, et j'ai eu peur de ne pas pouvoir rentrer à l'heure cet après-midi. Alors on a fait un crochet pour le prendre. Tu confirmes, Liz ?

– Absolument. On n'est pas entrées dans le bureau, du coup on ne peut pas vous dire s'il est fermé à clé.

– La gouvernante l'avait laissé ouvert avec le corps à l'intérieur, mais elle nous a quand même remis ses clés, a signalé le flic qui m'avait parlé. On jette un petit coup d'œil et on referme en partant.

– Tu pourrais leur dire qu'il n'y pas eu d'agression, m'a suggéré Mr Thomas. J'ai eu une crise cardiaque, ça fait un mal de chien.

Aucune chance que je transmette l'information. Je n'avais que neuf ans, mais je n'étais pas stupide pour autant.

Liz a repris, très professionnelle :

– Il y a une clé du portail ? Nous, on l'a trouvé ouvert en arrivant.

– Oui, on en a une, et on le fermera aussi, a assuré le deuxième policier. Inspecteur, vous avez eu une bonne idée de vous garer devant l'entrée.

Liz a écarté les mains, l'air de dire que c'était bien normal.

– Si vous avez terminé, on va vous laisser travailler.

Le flic qui m'avait questionné lui a répondu :

– Il faudrait qu'on sache de quoi a l'air ce fameux manuscrit, histoire de le mettre en sécurité si jamais on tombe dessus.

Ma mère a saisi la balle au bond :

– Justement, il m'a envoyé l'original la semaine dernière, sur une clé USB. Il était très paranoïaque, et je doute qu'il en existe une copie.

– En effet, j'étais paranoïaque, a admis Mr Thomas, dont le short était de nouveau en train de descendre.

— C'est bien tombé que vous ayez été là pour surveiller, a conclu le deuxième flic.

Les deux officiers nous ont serré la main – même à moi – avant de se diriger vers le petit bâtiment où Mr Thomas était mort. J'ai découvert après que pas mal d'auteurs mouraient à leur table de travail. Une profession à risque, on dirait.

— Allons-y, champion.

Liz a voulu me prendre la main, mais j'ai refusé en disant :

— Vous deux, vous allez vous mettre à côté de la piscine, juste une minute.

— Mais pourquoi ? s'est étonnée maman.

Pour la première fois de ma vie, sans doute, j'ai regardé ma mère comme si elle était d'une sottise abyssale. Et à cet instant précis, c'était bel et bien mon opinion. Elles me paraissaient aussi bêtes l'une que l'autre, et d'une impolitesse crasse, par-dessus le marché.

— Tu as obtenu ce que tu voulais, et maintenant il faut que je dise merci.

— Mon Dieu, où est-ce que j'avais la tête ? a répondu maman en se frappant de nouveau le front. Merci, Regis, merci infini-ment.

Vu qu'elle adressait ses remerciements à un parterre de fleurs, je l'ai prise par le bras pour qu'elle se tourne dans le bon sens.

— Il est de ce côté-là, maman.

Elle a redit merci, mais Mr Thomas est resté sans réaction. Visiblement, ça lui passait au-dessus de la tête. Maman a rejoint Liz, qui allumait encore une cigarette au bord du bassin.

Les remerciements n'étaient pas vraiment indispensables, je

savais déjà que les morts s'en balancent un peu ; j'ai quand même dit merci, c'était la moindre des politesses, et en plus, j'avais un petit service à demander.

— L'amie de maman, Liz. (Mr Thomas l'a regardée sans me répondre.) Elle s'imagine toujours que j'invente, quand je dis que je vous vois. D'accord, elle sait bien qu'il s'est passé un truc bizarre, parce qu'un enfant n'aurait jamais pu trouver cette intrigue tout seul – d'ailleurs, j'ai adoré ce qui arrive à George Threadgill...

— Merci. Il a eu ce qu'il méritait.

— Pour en revenir à Liz, elle va transformer toute l'histoire jusqu'à ce qu'elle colle avec ce qui l'arrange.

— Elle va rationaliser, disons.

— Si vous voulez.

— C'est bien de cela qu'il s'agit.

— Il n'y aurait pas un moyen de lui prouver que vous êtes bien là ?

Je pensais au geste de Mr Burkett, qui s'était gratté à l'endroit où sa femme l'avait embrassé.

— Je ne sais pas trop. Jimmy, est-ce que tu as une idée de ce qui m'attend maintenant ?

— Pas du tout, Mr Thomas, je suis désolé.

— Je suppose que je le découvrirai par moi-même.

Il s'est approché du bassin dans lequel il ne nagerait jamais plus. Quelqu'un le remplirait peut-être dès que les beaux jours reviendraient, mais d'ici là, il aurait disparu depuis bien long-temps. Maman et Liz discutaient à voix basse en se partageant la cigarette. À cause de sa copine, ma mère s'était remise au tabac, ça faisait partie des choses que je reprochais à Liz. Même si maman ne fumait pas beaucoup, et seulement en sa compagnie.

Mr Thomas s'est planté face à Liz, et il a inspiré bien fort avant de souffler. Ses cheveux étaient noués en une queue-de-cheval bien stricte et elle n'avait pas de frange à décoiffer, pourtant elle a plissé les yeux comme si une rafale de vent balayait son visage. Si maman ne l'avait pas rattrapée, je crois qu'elle aurait basculé dans la piscine.

– Alors, tu as senti ? (Question idiote – bien sûr qu'elle l'avait senti.) C'était Mr Thomas.

Ce dernier était en train de s'éloigner, en route vers son bureau.

– Merci encore, Mr Thomas.

Il ne m'a pas répondu, levant simplement la main avant de la fourrer dans la poche de son short, m'offrant une vue imprenable sur « le sourire du plombier » (l'expression de maman quand elle voyait un type dans un jean taille basse). Ça aussi, c'est peut-être le détail de trop, mais vous ferez avec. En l'espace d'une heure, Regis Thomas avait dû résumer pour nous ce qu'il avait mis des mois à échafauder. Il n'avait pas eu le choix, et ça lui donnait peut-être le droit de nous montrer ses fesses.

Bien entendu, il n'y a eu que moi pour les voir.

14

L'heure est venue de vous en dire un peu plus sur Liz Dutton. Alors allons-y.

Un mètre soixante-cinq (comme ma mère), des cheveux noirs qui lui arrivaient aux épaules, quand elle ne portait pas la queue-de-cheval réglementaire. Dotée de ce que mes copains de CE2 appelaient un physique de « bombasse », comme s'ils avaient la moindre expérience en la matière. Un sourire magnifique, des yeux gris. Elle avait un regard chaleureux, mais si elle se mettait en rage, ses yeux gris devenaient aussi glacials qu'un grésil de novembre.

Je l'aimais bien, à cause de toutes les fois où elle était sympa avec moi. Par exemple, elle m'avait spontanément offert son reste de Coca pour soulager ma gorge sèche, alors que ma mère était trop occupée à saisir les tenants et les aboutissants du roman inachevé de Regis Thomas. De temps en temps, elle me rapportait des petites voitures Matchbox pour enrichir ma collection, et il lui arrivait même de s'asseoir avec moi sur le plancher pour jouer. Parfois, elle me serrait dans ses bras en m'ébouriffant les cheveux, ou me chatouillait jusqu'à ce que je lui crie d'arrêter avant que je me fasse pipi dessus (elle appelait ça « mouiller sa culotte »).

À côté de ça, il y avait tout ce que je n'aimais pas, surtout après notre expédition à Cobblestone Cottage. Quelquefois, je surprenais son regard fixé sur moi, comme si elle observait un insecte sous la lentille d'un microscope. Dans ces cas-là, ses yeux gris n'exprimaient plus rien de chaleureux. Elle me répétait aussi que ma chambre était un foutoir, ce qui n'était pas faux – quoique ma mère n'ait pas eu l'air de s'en soucier. « Jamie, ça pique les yeux de voir ça. » Ou bien : « Jamie, tu comptes vivre comme ça toute ta vie ? » Elle prétendait aussi que j'avais passé l'âge de garder une veilleuse allumée pour la nuit, mais ma mère tranchait rapidement le débat. « Fiche-lui la paix, Liz. Il arrêtera quand il se sentira prêt. »

Mais son plus gros défaut, c'était de me voler une partie de l'attention et de l'affection maternelles. J'ai compris bien après, en potassant les théories de Freud pour un cours de psycho en deuxième année de fac, que j'avais développé une très classique fixation œdipienne, et que Liz faisait figure de rivale.

Et alors ? Évidemment que j'étais jaloux, et les bonnes raisons ne manquaient pas. Mon père n'était pas là, et j'ignorais totalement qui ce pouvait être, puisque ma mère refusait d'aborder le sujet. C'était complètement légitime, mais je ne l'ai su que plus tard, sur le moment, tout ce que je comprenais, c'était : « Jamie, c'est nous deux contre le monde entier. » Jusqu'à ce que Liz surgisse dans notre vie. Et n'oubliez pas que, même avant ça, j'étais très loin d'avoir maman tout à moi. Elle se démenait dans tous les sens pour maintenir l'agence à flot, maintenant que James Mackenzie les avait plumés, son frère et elle. (Je ne supportais pas que ce type porte le même prénom que moi.) Ma mère cherchait la perle rare dans un océan de médiocrité, espérant pêcher une autre Jane Reynolds.

Il faut dire que le jour de notre visite à Cobblestone Cottage, points forts et points faibles avaient tendance à s'équilibrer, concernant Liz, et j'avais quatre arguments qui pouvaient faire pencher la balance du bon côté : les petites voitures Matchbox étaient tout sauf négligeables ; j'aimais bien me blottir sur le canapé entre Liz et maman pour regarder *The Big Bang Theory* ; j'avais envie d'apprécier la personne qui plaisait à ma mère ; et Liz la rendait heureuse, même si ça s'est gâté après (encore ce mot, je sais).

Cette année-là, on a passé un Noël fabuleux. Elles m'ont offert de chouettes cadeaux toutes les deux, et on a déjeuné de bonne heure au Chinese Tuxedo, avant que Liz parte prendre son service. « Le crime ne prend jamais de vacances », comme elle disait. Pendant qu'elle travaillait, je suis retourné avec ma mère dans notre ancien immeuble, sur Park Avenue.

Après notre déménagement, elle était restée en contact avec Mr Burkett, et il nous arrivait de passer du temps tous les trois. « Parce qu'il se sent seul – et pour quoi d'autre, Jamie ? – Parce qu'on l'aime bien. » Et c'était la pure vérité.

On a dîné chez lui le soir de Noël – sandwiches à la dinde et sauce cranberry de chez Zabar – parce que sa fille, qui habitait sur la côte Ouest, n'avait pas pu se déplacer. (J'ai découvert après coup le fin mot de l'histoire.) Et puis, on l'aimait bien, je le répète.

Je vous l'ai peut-être déjà dit, Mr Burkett avait le titre de *professeur* – professeur émérite à cette époque-là. En d'autres termes, il pouvait traîner sur le campus même s'il avait pris sa retraite, et donner quelques cours dans sa discipline hyper-classe, littérature anglaise et européenne. Un jour, j'ai eu le tort d'appeler sa matière « la litté », et il m'a rétorqué que « l'alité » ne désignait que les vieux et les malades.

La dinde n'était pas farcie et, en fait de légumes, il n'y avait que des carottes, mais ce petit repas était quand même bien agréable. En plus, on a de nouveau échangé des cadeaux. Moi, j'ai offert à Mr Burkett une boule à neige à ajouter à sa collection. En fait, c'était sa femme qui les collectionnait, mais il l'a admirée en me remerciant, et l'a posée ensuite sur le dessus de la cheminée avec les autres. De la part de maman, il a reçu une nouvelle édition annotée des aventures de Sherlock Holmes, en hommage à la spécialité qu'il avait enseignée pendant sa car-rière : « les enquêtes policières et le roman gothique dans la littérature anglaise ».

Mr Burkett a offert à ma mère un pendentif qui avait appar-tenu à sa femme, et quand elle a protesté, avançant que leur fille voudrait peut-être le garder, il a répliqué qu'elle avait déjà raflé les plus belles pièces. « Et qui va à la chasse perd sa place », a-t-il ajouté. J'en ai déduit que si Siobhan (je pensais que ça s'écrivait *Shivonn*) n'était pas fichue de se déplacer, elle n'avait qu'à aller se faire voir. À mes yeux, ce n'était que justice, étant donné que Mr Burkett ne serait pas là éternellement pour fêter Noël en famille. Après tout, il était vieux comme Mathusalem. Et puis, il faut avouer que j'avais un faible pour les pères, n'en ayant pas eu moi-même. Il paraît qu'on ne peut pas regretter ce qu'on n'a jamais connu, ce qui me semble assez logique. N'empêche, je sentais bien qu'il me manquait *quelque chose*.

J'ai reçu un livre moi aussi, choisi par Mr Burkett. *Vingt contes de fées. Version non expurgée.*

— Jamie, m'a-t-il demandé, sais-tu ce que signifie « non expurgé » ?

Vieux réflexe professionnel, je présume. J'ai fait non de la tête.

— Tu n'aurais pas une petite idée ?

Il s'est penché vers moi en souriant, ses grandes mains noueuses posées sur ses cuisses maigres.

— Le contexte pourrait t'aider à deviner, non ?

— Ça veut dire « non censuré », peut-être ? Interdit aux mineurs.

— Gagné, je te félicite.

— J'espère qu'il n'y a pas trop de sexe, s'est inquiétée maman. Jamie lit aussi bien qu'un lycéen, mais il n'a que neuf ans.

— Rien de sexuel, l'a rassurée Mr Burkett. (Je ne l'appelais pas encore *professeur*, c'était un peu trop guindé à mon goût.) Juste de la violence pure et dure. Ainsi, vous pourrez lire la version d'origine de *Cendrillon*, dans laquelle les méchantes demi-sœurs…

Maman m'a chuchoté pour plaisanter :

— Attention, *spoiler*.

Mais Mr Burkett ne s'est pas démonté, il avait basculé en mode enseignant. Moi, ça ne me dérangeait pas, ce qu'il disait m'intéressait.

– Dans la version d'origine, voyez-vous, les demi-sœurs se tranchent les orteils en essayant d'enfiler la pantoufle de verre.

– Beurk !

(Autrement dit : « C'est dégoûtant, j'ai envie d'en savoir plus ! »)

– Et je précise en passant que cette pantoufle n'était pas du tout en verre, Jamie. Il s'agit vraisemblablement d'une erreur de traduction perpétuée par Walt Disney, ce grand niveleur des contes de fées. En réalité, la pantoufle était en vair – en fourrure, si tu préfères.

– Ouah !

C'était moins passionnant que les orteils coupés, mais j'avais envie qu'il poursuive sur sa lancée.

– Et dans la version d'origine du *Prince grenouille*, la princesse ne donne pas un baiser à la grenouille, elle...

– N'en dites pas plus ! a protesté ma mère. Laissez-le découvrir ces contes par lui-même.

– C'est bien mieux, en effet, a concédé Mr Burkett. On pourra éventuellement en discuter ensemble, Jamie.

Je l'imaginais plutôt parler tout seul pendant que je l'écouterais, mais ce n'était pas grave.

– On boit un chocolat ? a proposé maman. Il vient aussi de chez Zabar, ils sont imbattables là-dessus. Je peux le réchauffer, ça ne prendra que deux minutes.

– En avant, Macduff, maudit soit le premier qui s'y oppose.

Un clin d'œil à Shakespeare qui valait pour un oui. On a même ajouté de la crème fouettée dessus.

De toute mon enfance, je ne me rappelle pas avoir passé

un meilleur Noël, des pancakes préparés par Liz le matin au chocolat chaud que nous avons bu chez Mr Burkett, à quelques mètres à peine de notre ancien appartement. Le réveillon du Nouvel An a aussi été un succès, encore que je me sois endormi sur le canapé avant les douze coups de minuit. Jusque-là, que du bon. C'est en 2010 que les disputes ont commencé.

Avant ça, ma mère et Liz étaient portées sur « les débats animés », qui concernaient essentiellement les livres. Dans le domaine des bouquins et du cinéma, elles ne manquaient pas de goûts communs (elles s'étaient liées grâce à un roman de Regis Thomas, rappelez-vous), mais Liz reprochait à ma mère de se focaliser sur les chiffres des ventes, les à-valoir et les scores précédents des auteurs, au détriment de l'histoire qu'ils proposaient. Par ailleurs, elle ricanait ouvertement à propos de deux ou trois écrivains que représentait l'agence, en les traitant de « semi-illettrés ». Maman lui retournait que ces « semi-illettrés » avaient le mérite de payer son loyer et ses factures, sans parler du centre de soins où oncle Harry marinait dans sa pisse.

À un moment, leurs discussions ont quitté le terrain relativement sûr des livres et des films, pour glisser vers des sujets moins inoffensifs. La politique, notamment. Il y avait, par exemple, cet élu du Congrès que Liz encensait, un certain John Boehner. Ce à quoi maman répliquait : « Boehner qui rime avec branleur. » Enfin, c'est ce que j'ai cru comprendre, ayant entendu le mot dans la cour de récréation. Ma mère, de son côté, soutenait Nancy Pelosi, en qui elle voyait une femme courageuse bataillant dans un « univers de mecs » (vous la connaissez probablement, elle fait toujours de la politique). Aux yeux de Liz, Pelosi n'était qu'une vulgaire raclure progressiste.

Mais c'est à cause de Barack Obama qu'a surgi leur plus gros désaccord politique, Liz refusant de croire à cent pour cent qu'il était bien né sur le sol américain. Résultat, maman l'a traitée de raciste et d'imbécile. Elles étaient dans la chambre, porte fermée – c'était là que se déroulaient la plupart des disputes –, mais elles haussaient suffisamment le ton pour que j'entende tout depuis le salon. Au bout de quelques minutes, Liz a quitté la maison en claquant la porte, et elle n'a pas reparu pendant près d'une semaine. À son retour, elles se sont réconciliées. Dans la chambre à coucher, porte fermée. Là encore, j'ai tout entendu, car la phase rabibochage a fait pas mal de boucan. Éclats de rire, gémissements et grincements de sommier.

Le mouvement Black Lives Matter n'avait pas encore émergé, mais elles s'accrochaient déjà sur les méthodes de la police. Un point très sensible chez Liz, vous vous en doutez. Maman s'insurgeait contre le « profilage racial », et Liz rétorquait qu'on avait forcément besoin de caractéristiques claires pour dresser un profil précis. (Je n'ai pas saisi sur le moment, et je ne comprends toujours pas.) D'après ma mère, si un Noir et un Blanc étaient sanctionnés pour des délits identiques, c'était toujours le Noir qui écopait de la peine la plus lourde – parfois les Blancs n'allaient même pas en prison. Liz contre-attaquait en disant : « Partout où tu as un boulevard Martin-Luther-King, tu as une zone de forte criminalité. »

Les prises de bec se sont multipliées et, malgré mon jeune âge, je devinais très bien pourquoi : abus d'alcool des deux côtés.

Les petits-déjeuners que maman cuisinait deux ou trois fois par semaine ont pratiquement disparu. Le matin, en me levant, je les trouvais attablées dans leurs peignoirs assortis, penchées sur leur tasse de café, le teint blafard et les yeux rougis. Trois, voire quatre bouteilles de vin vides s'entassaient dans la poubelle, avec des mégots dedans.

– Jamie, me disait maman, prends tes céréales et ton jus de fruits pendant que je m'habille.

Et Liz m'ordonnait de ne pas faire de bruit – son aspirine n'avait pas encore fait effet, sa migraine lui fracassait la tête, et on l'attendait pour un briefing ou une quelconque mission de surveillance. Pas pour l'affaire Thumper, en tout cas : elle n'avait pas été acceptée dans l'équipe.

Ces jours-là, j'avalais mon petit-déjeuner avec la discrétion d'une souris. Maman commençait tout juste à se ressaisir quand on était prêts à partir pour l'école – ignorant l'opinion de Liz, qui soutenait que j'avais l'âge de faire le trajet tout seul.

Cela dit, la situation me paraissait normale, à cet âge-là. Il me semble qu'il faut attendre quinze ou seize ans pour que le monde prenne des contours à peu près nets ; jusque-là, on prend ce qui se présente et on s'en accommode tant bien que mal. Parfois, ma journée débutait avec deux femmes en post-cuite avachies devant leur café, et voilà. Malheureusement, ce « parfois » s'est changé en « tout le temps ». À la longue, je ne remarquais même plus les relents d'alcool qui imprégnaient l'appartement. Une partie de moi a quand même dû les enregistrer, parce que le jour où mon coloc a renversé une bouteille de zinfandel dans le salon de notre petit logement d'étudiants, tout est brusquement remonté à ma mémoire, comme si je recevais un grand coup de planche dans la figure. Les cheveux emmêlés de Liz. Les yeux cernés de ma mère. Mon habitude de refermer le placard à provisions *tout doucement*.

J'ai prétexté avoir besoin d'acheter des cigarettes (eh oui, j'avais fini par choper cette sale manie), mais, en réalité, je ne supportais pas cette odeur. Si on me donnait le choix entre voir des morts – ce qui m'arrive encore – et respirer des odeurs de vin renversé, je choisirais les morts.

Merde, je n'hésiterais même pas une seconde.

15

Ma mère a passé quatre mois à rédiger *Le Secret de Roanoke*, sans jamais se séparer de son fidèle magnétophone. Un jour, je lui ai demandé si l'écriture de son roman pouvait se comparer à la composition d'un tableau. Après réflexion, elle m'a dit que ça ressemblait davantage à ces kits créatifs avec des cases numérotées : on se contente de suivre les instructions, et on est censé obtenir à la fin une « image à encadrer ».

Pour pouvoir se consacrer pleinement à l'écriture, elle avait engagé une assistante. Comme elle me l'a expliqué un après-midi en rentrant de l'école – ces trajets étaient quasiment les seuls bols d'air qu'elle s'accordait –, elle n'avait ni les moyens d'embaucher quelqu'un, ni les moyens de s'en dispenser. Barbara Means, qui venait de boucler un cursus littéraire à Vassar, a accepté le poste pour un salaire de misère parce que l'expérience l'intéressait. Il s'est avéré qu'elle était très compétente, ce qui nous a bien rendu service. Et puis, j'aimais bien ses yeux verts, je les trouvais vraiment jolis.

Maman a rédigé plusieurs versions du roman et, pendant cette période, elle n'a lu pratiquement que du Regis Thomas, pour bien s'imprégner de son style. Elle écoutait ma voix sur la bande, rembobinait, passait en avance rapide. Petit à petit, elle a comblé les blancs. Un soir où elle avait éclusé les trois quarts d'une bouteille, je l'ai entendue dire à Liz qu'elle n'en pouvait plus : si elle devait encore écrire « ses seins fermes et haut perchés, avec leurs tétons en boutons de rose », elle allait péter les plombs. En plus de ça, elle a dû faire de la communication auprès des professionnels du livre sur l'avancement du dernier opus de Regis Thomas, notamment pour un article du *New York Post* ; toutes sortes de rumeurs commençaient à se répandre. (Ce souvenir a rejailli à la mort de Sue Grafton, partie sans avoir achevé son abécédaire du crime.) Tous ces mensonges faisaient horreur à ma mère, elle ne s'en cachait pas.

— Pourtant, tu es une excellente menteuse, a prétendu Liz.

Maman lui a lancé un de ses regards glacials, de plus en plus fréquents pendant la dernière année de leur relation.

Elle mentait également à l'éditrice de Regis, affirmant que l'auteur, peu avant son décès, avait bien spécifié que personne à part elle ne serait autorisé à consulter le manuscrit avant 2010, afin « d'attiser la curiosité des lecteurs ». Liz jugeait l'argument un peu fragile, mais maman était sûre que ça passerait.

— De toute manière, Fiona n'a jamais corrigé ses textes.

Elle faisait allusion à Fiona Yarbrough de chez Doubleday, la maison d'édition qui publiait Regis Thomas.

— Son seul boulot, c'était d'envoyer un courrier à Regis pour accuser réception d'un manuscrit, en lui assurant qu'il s'était encore surpassé.

Après la remise du livre, maman a passé une semaine à tourner en rond et à aboyer sur tout le monde, y compris sur moi, s'attendant à un appel de Fiona. *Ce n'est pas Regis qui a écrit ce roman, ça ne lui ressemble absolument pas. À mon avis, c'est vous l'auteur, Tia.* Pourtant, tout s'est bien terminé. Fiona ne s'est doutée de rien, ou alors elle s'en fichait. Et les journalistes n'y ont vu que du feu lorsque le bouquin a envahi les librairies, à l'automne 2010.

Publishers Weekly : « Thomas avait gardé le meilleur pour la fin. »

Kirkus Review : « Ce sulfureux opus fera les délices de tous les fans d'aventures historico-érotiques. »

Dwight Garner, dans le *New York Times* : « Une prose lourdaude et insipide, tout à fait typique de Thomas : un peu l'équivalent d'un buffet à volonté dans un médiocre restaurant d'autoroute. »

Les critiques, maman s'en moquait. Ce qui l'intéressait, c'étaient l'énorme à-valoir et le supplément de royalties sur les ventes des autres tomes. Elle a râlé copieusement de ne toucher que 15 % alors qu'elle était l'auteur du bouquin, mais elle s'est accordé une modeste revanche en se dédicaçant le livre.

— Je le mérite bien, après tout.

— Pas tant que ça, a contré Liz. Dans le fond, Tee, tu as juste servi de secrétaire. C'est peut-être à Jamie que tu aurais dû le dédicacer.

Elle s'est encore attiré un regard glacial de ma mère, mais moi je trouvais qu'elle n'avait pas tort, sur ce coup. Même si moi aussi, je n'étais qu'un simple secrétaire, quand on y réfléchissait.

16

Voyons voir.

Je vous ai déjà énuméré quelques-unes des raisons qui me faisaient aimer Liz, et je pourrais certainement en citer d'autres. Je vous ai expliqué aussi ce qui me gênait et, là non plus, je n'étais sûrement pas au bout de la liste. La situation inverse – que Liz elle-même ait pu ne pas m'aimer du tout –, je ne l'ai envisagée que bien après. À vrai dire, je n'avais aucune raison de le penser : j'avais l'habitude de recevoir de l'amour, j'étais même un peu blasé. Je me sentais aimé par ma mère et par mes enseignants, surtout Mrs Wilcox en CE2, qui m'avait serré dans ses bras le jour des vacances en disant qu'elle allait me regretter ; j'étais aimé de mes grands copains Frankie Ryder et Scott Abramowitz, même si on ne considérait jamais les choses en ces termes. Sans oublier Lily Rhinehart, qui m'avait claqué un gros baiser sur la bouche. Avant que je change d'école, elle m'avait offert une carte Hallmark illustrée d'un chiot à l'air triste. Le message à l'intérieur disait : TU VAS DRÔLEMENT ME MANQUER, et elle avait signé en bas, en remplaçant par un cœur le point du i de Lily. Elle avait même tracé des x et des o – symboles de câlins et bisous.

Je dirai que Liz m'aimait *bien*, au minimum. Du moins les premiers temps. Mais les choses ont évolué après notre visite à Cobblestone Cottage : à partir de là, elle a commencé à me considérer comme un phénomène. Je crois, ou plutôt je sais qu'elle s'est mise à avoir peur de moi, et on a toujours du mal à aimer ce qui nous effraie. C'est peut-être même impossible.

Elle avait beau estimer que j'avais l'âge de rentrer tout seul, il lui arrivait encore de passer me chercher à l'école quand elle travaillait dans l'équipe de relève, entre seize heures et minuit. Tous les inspecteurs tâchaient d'esquiver ces horaires, mais Liz se les coltinait régulièrement. À l'époque, je ne me posais pas de questions, mais j'ai compris après coup que ses chefs étaient loin de l'apprécier. Et de lui faire confiance. Sa relation avec ma mère n'avait rien à voir là-dedans : question mœurs, la police de New York intégrait tout doucement le vingt et unième siècle. L'alcool non plus ne posait pas de problème, Liz n'était pas la seule dans la maison à abuser de la boisson. En revanche, certains de ses collègues commençaient à la soupçonner de pas être réglo. Et là-dessus – attention *spoiler* –, ils ne se trompaient pas.

17

Il faut que je vous parle de deux occasions bien précises où Liz est passée me chercher. Les deux fois, elle est venue en voiture – pas celle de notre expédition à Cobblestone Cottage, mais son véhicule personnel. La première fois, c'était en 2011, alors que Liz et ma mère étaient toujours ensemble. Et la chose s'est reproduite en 2013, un an et quelque après leur rupture. J'y viendrai en temps utile, commençons par le commencement.

Cet après-midi de mars 2011, je suis sorti de l'école avec mon sac de classe sur l'épaule – une seule bretelle enfilée, le comble du cool parmi les élèves de sixième. Elle m'attendait dehors dans sa Honda Civic, garée sur un des emplacements jaunes réservés aux handicapés. Liz s'en sortait toujours grâce à sa pancarte : OFFICIER DE POLICE EN SERVICE, et vous remarquerez que même à l'âge tendre de onze ans, j'aurais pu en tirer pas mal de conclusions sur sa mentalité.

Je suis monté avec elle, évitant de froncer le nez en reniflant l'odeur de tabac froid que le petit sapin parfumé accroché au rétroviseur n'arrivait pas à masquer. Grâce au *Secret de Roanoke*, nous avions pu prendre un logement séparé de l'agence, et je pensais que Liz allait me reconduire à la maison. Pourtant, elle s'est dirigée vers le nord.

– Où est-ce qu'on va, là ?

– Juste une petite excursion, tu vas voir.

Cette « excursion » nous a menés au cimetière de Woodlawn dans le Bronx, dernière demeure de Duke Ellington, d'Herman Melville et de Bartholomew Masterson, pour ne citer qu'eux. Je le sais parce que je me suis renseigné, j'ai même rendu un devoir scolaire sur le cimetière de Woodlawn. Liz a franchi l'entrée côté Webster Avenue, puis elle a roulé doucement le long des allées. Ce n'était pas désagréable, mais c'était aussi légèrement effrayant.

– Tu sais combien de gens on a casés ici ? a fait Liz. Non ? Ils sont trois cent mille, à peine un peu moins que la population de Tampa. Je l'ai lu sur Wikipedia.

– Qu'est-ce qu'on fabrique ici, au juste ? C'est pas que je m'ennuie, mais j'ai des devoirs à faire.

Je ne lui mentais pas, même si je n'avais qu'une demi-heure de travail devant moi. C'était une belle journée de soleil et Liz n'avait rien de spécialement bizarre – juste la copine de ma mère, quoi –, mais cette « excursion » me fichait vaguement la trouille.

Liz a continué, ignorant superbement le prétexte des devoirs.

– On enterre régulièrement des gens ici. Tiens, regarde sur ta gauche.

Le doigt tendu, elle a rétrogradé jusqu'à rouler au pas. À l'endroit qu'elle m'indiquait, un groupe de personnes entouraient un cercueil placé au-dessus d'une tombe ouverte. Un genre de pasteur se tenait devant la stèle avec un livre. J'ai compris que ce n'était pas un rabbin, puisqu'il ne portait pas le traditionnel petit bonnet rond.

Liz a arrêté la voiture, mais les gens n'ont pas fait attention à nous, concentrés sur ce que racontait le pasteur.

— Tu peux voir les morts, a déclaré Liz. J'ai fini par l'accepter. Après ce qui s'est passé chez Regis Thomas, c'était difficile à nier. Est-ce que tu en vois ici ?

— Non.

Je me sentais affreusement mal à l'aise, et Liz n'y était pour rien : je venais quand même d'apprendre que nous étions cernés par trois cent mille morts, et j'avais beau savoir qu'ils disparaissaient au bout de quelques jours, une semaine grand maximum, je m'attendais à en voir quelques-uns à côté de leurs tombes, ou même perchés dessus. Et qui sait si la troupe n'allait pas converger vers nous, comme dans ces films de zombies super-nazes ?

— Tu en es bien certain, Jamie ?

J'ai jeté un coup d'œil à l'enterrement d'à-côté : les gens du cortège avaient tous la tête baissée, le pasteur devait réciter une prière. Tous, sauf un. Celui-là, il regardait le ciel d'un air dégagé.

— Le type, là, avec le costume bleu. Celui qui ne porte pas de cravate. Peut-être bien qu'il est mort, je pourrais pas le jurer. S'ils n'ont rien de spécial au moment de leur mort, rien qui se voie, je veux dire, alors ils ressemblent à n'importe qui.

— Je ne le vois pas, ton type sans cravate.

— Si c'est ça, on peut dire qu'il est mort.

— Ils assistent tous à leurs propres obsèques ?

— Comment tu veux que je le sache ? C'est la première fois

que je mets les pieds dans un cimetière. J'ai vu Mrs Burkett
à l'église, le jour de son enterrement, mais pour le cimetière,
je peux rien te dire, vu qu'on n'y est pas allés. On est rentrés
directement à la maison.

— Mais lui, tu le vois ?

Liz paraissait en transe, le regard braqué sur le rassemble-
ment.

— Tu pourrais aller l'aborder, comme tu l'as fait pour
Mr Thomas.

— Non, j'irai pas !

Ces mots-là, je les ai *glapis*, quoiqu'il m'en coûte de l'avouer.

— Devant tous ses amis ? Devant sa femme et ses enfants ?
Non, tu peux pas me forcer !

— Doucement, champion, a dit Liz en m'ébouriffant les cheveux. Je réfléchissais à voix haute, c'est tout. D'après toi, comment est-il arrivé ici ? Pas en commandant un Uber, je suppose.

— Je sais pas. Ramène-moi à la maison.

— Mais oui, on ne va pas tarder.

Liz a continué à rouler dans les allées du cimetière, longeant
des caveaux, des mausolées et des quantités de tombes toutes
simples. En chemin, on est tombés sur trois autres cérémonies,
deux petites, comme la première, et une autre gigantesque, pas
moins de deux cents personnes massées sur une pente, et un
maître de cérémonie muni d'un porte-voix – coiffé d'un petit
bonnet, cette fois, et avec même un grand châle hyper-classe sur
le dos. Chaque fois, Liz m'a demandé si j'avais repéré le mort,
mais je ne captais rien du tout.

— De toute manière, a-t-elle répliqué, je parie que tu ne dirais rien même si tu les voyais. Tu es d'une humeur infecte, c'est visible.

– N'importe quoi !

– Bien sûr que si ! Et si tu racontes à Tee que je t'ai amené ici, ça va sans doute déclencher une dispute. Tu serais assez sympa pour lui faire croire qu'on est allés manger une glace ?

À ce moment-là, on avait quasiment rejoint Webster Avenue, et je me sentais un peu requinqué. Je me suis persuadé que Liz avait le droit d'être curieuse, c'était bien naturel, après tout. Alors, j'ai choisi de coopérer.

– Pourquoi pas ? À condition que tu m'offres une glace pour de bon.

– Tentative de corruption. On est dans les infractions majeures, là !

Liz a éclaté de rire en me passant la main dans les cheveux, et tout s'est à peu près arrangé.

Quand on est sortis de l'enceinte du cimetière, j'ai remarqué à l'arrêt de bus une jeune femme en robe noire, assise sur un banc. À côté d'elle se tenait une petite fille habillée de blanc, avec des chaussures d'un noir brillant. Elle avait des cheveux dorés, des joues bien roses et un trou dans la gorge. Je lui ai fait bonjour de la main, mais Liz ne m'a pas vu, elle guettait une éclaircie dans le flot des voitures pour pouvoir s'engager sur l'avenue. Je ne lui ai parlé de rien. Le soir après le dîner, quand elle est rentrée chez elle ou partie prendre son service, j'ai bien failli me confier à ma mère. Pourtant, je ne me suis pas décidé. La petite fille aux cheveux dorés est restée mon secret. J'ai supposé après coup qu'elle s'était étouffée en mangeant, ce qui expliquait le trou dans sa gorge. On l'avait ouverte pour que l'air puisse circuler, mais c'était déjà trop tard. Elle était là, assise près de sa mère, et sa mère n'en savait rien. Moi, par contre, je l'avais su. Je l'avais vue. Quand je lui avais fait bonjour, elle m'avait répondu.

18

Après avoir prévenu ma mère qu'on s'était arrêtés au Lickety Split, Liz m'a dit pendant qu'on mangeait nos glaces :

– Ça doit te faire un drôle d'effet, cette faculté que tu as. Carrément bizarre. Ça te fiche pas la frousse ?

J'ai failli lui demander si ça ne lui fichait pas la frousse de penser que les étoiles dans le ciel tournaient pour l'éternité, mais ça ne valait pas la peine, et je lui ai simplement répondu que non. On s'habitue aux choses prodigieuses, on finit par les tenir pour acquises. Et on a beau essayer de lutter, ça ne sert à rien. Le monde est plein de prodiges, voilà tout.

19

Je vais vous en dire plus sur la deuxième fois où Liz est venue m'attendre à l'école, mais d'abord, il faut que je vous raconte la rupture. Une matinée ultra-flippante, si vous voulez savoir.

Ce jour-là, ce sont les hurlements de ma mère qui m'ont tiré du lit, mon réveil n'avait pas encore sonné. Je l'avais déjà vue en colère, mais jamais à ce point.

– Tu as apporté ça chez moi ? À l'endroit où je vis avec mon fils ?

Je n'ai pas compris ce que répondait Liz, elle ne parlait pas assez fort.

– Et tu crois que j'en ai quelque chose à faire ? a crié maman. Dans les films policiers, c'est dix ans de prison. Je pourrais finir en taule pour complicité !

– Arrête ton cinéma, tu veux ? (Liz a haussé la voix :) Il n'y a aucun risque...

– Je m'en fous ! C'était là, et ça y est toujours ! Merde, sur ma table à côté du sucrier ! Tu as introduit de la drogue dans mon appartement ! Dix ans de prison !

– Tu peux arrêter, oui ? On n'est pas dans un épisode de *Law and Order*.

Liz aussi s'était mise à crier, sa colère montait.

J'ai collé l'oreille contre la porte, pieds nus et en pyjama, le cœur battant à grands coups. Cette fois, il ne s'agissait plus d'un débat, ni même d'une prise de bec. C'était beaucoup plus grave.

– Tu n'étais pas censée regarder dans mes poches…

– Je rêve, ou tu m'accuses d'avoir fouillé dans tes affaires ? Je cherchais seulement à te rendre service ! Je comptais déposer ma jupe au pressing, et j'ai voulu faire nettoyer ta veste de rechange en même temps. Celle de ton uniforme. Depuis quand tu avais ça sur toi ?

– Très peu de temps, je t'assure. Ça appartient à un mec qui s'est absenté momentanément. Il doit rentrer demain et…

– Combien de temps, au juste ?

Là encore, Liz a parlé trop bas pour que je puisse l'entendre.

– Dans ce cas, pourquoi tu l'as apportée ici ? Ça me dépasse, à la fin ! Tu n'avais qu'à la laisser chez toi, dans le coffre où tu ranges ton arme.

– Je n'ai pas…

– Quoi donc ? Continue !

– En réalité, je n'ai pas de coffre chez moi. Et il y a déjà eu des cambriolages dans mon immeuble. En plus, j'avais prévu de rester chez toi cette semaine. J'ai pensé que ça m'éviterait un aller-retour.

– T'éviter un aller-retour ? C'est la meilleure !

Cette fois, Liz n'a pas riposté.

– Alors comme ça, tu n'as pas de coffre pour ton arme. Tu me caches quoi d'autre ?

La colère de maman était retombée, elle semblait surtout blessée. Au bord des larmes, d'après sa voix. J'ai été tenté de sortir de ma chambre pour dire à Liz de lui ficher la paix, même si c'était ma mère qui avait tout déclenché. Mais je ne l'ai pas fait, je suis resté derrière la porte à écouter, tout tremblant.

Liz a chuchoté je ne sais quoi, et ma mère a répliqué :

– C'est pour ça que tu as tant d'ennuis, dans ton service ? Est-ce que tu en consommes, en plus d'en *transporter* ? Est-ce que tu *deales*, par la même occasion ?

– Je ne consomme pas, et je ne deale pas !

Maman a de nouveau élevé la voix :

– Tu sers d'intermédiaire, ça ne me semble pas très différent ! (Puis elle est revenue à ce qui la dérangeait le plus, dans cette sombre affaire :) Tu as osé apporter ça *chez moi* ! Dans la maison de mon fils. Tu ranges ton arme dans ta voiture, je l'ai toujours exigé, mais tu te débrouilles quand même pour planquer *deux livres de cocaïne* dans ta veste de rechange. (Ma mère s'est mise à rire, mais elle n'avait pas l'air de s'amuser.) Ta veste de flic, je précise !

– Ça fait moins de deux livres, a corrigé Liz, d'un ton pincé.

– Figure-toi que j'ai passé des années à peser de la viande dans le magasin de mon père. Je suis capable d'évaluer un poids.

– OK, je la dégage tout de suite.

– C'est ça, et grouille-toi. Tu reviendras plus tard pour récupérer tes affaires. Avertis-moi à l'avance – je tiens à être là, mais il faudra que Jamie soit absent. Fin de la discussion.

— T'es pas sérieuse, là ?

Même sans la voir, je devinais que Liz était persuadée du contraire.

— Je n'ai jamais été aussi sérieuse, tu sais. Je serai assez généreuse pour ne pas signaler à ton supérieur ce qui s'est passé, mais je te préviens : si jamais tu te pointes encore ici après avoir embarqué tes affaires, je n'hésiterai pas à te dénoncer. Tu peux me croire sur parole.

— Tu es en train de me virer ? Sérieux ?

— Ouais, sérieux. Tu prends ta came et tu te tires.

Liz s'est mise à pleurer, c'était horrible. Quand elle a été partie, maman aussi a fondu en larmes, et j'ai trouvé ça encore pire. Je l'ai rejointe à la cuisine pour lui faire un câlin.

— Qu'est-ce que tu as entendu, exactement ? m'a-t-elle demandé aussitôt. La totalité, je suppose. Je ne vais pas te mentir, Jamie, ni même enjoliver la situation. Liz avait de la dope sur elle, en grande quantité. Je t'interdis d'en parler à qui que ce soit, c'est compris ?

— C'était vraiment de la cocaïne ?

Moi aussi je pleurais, je m'en suis rendu compte en entendant ma voix enrouée.

— Oui. Et puisque tu en sais déjà aussi long, je peux t'avouer que j'en ai pris quand j'étais étudiante. Pas plus de deux ou trois fois. J'ai goûté le truc que j'ai trouvé dans le sac plastique de Liz, et ma langue s'est engourdie. Alors je peux t'assurer que c'était de la coke.

— Mais elle n'est plus ici, Liz l'a emportée.

Une bonne mère sait toujours ce qui fait peur à son gamin, et peu importe si certains en doutent et ne voient là qu'un mythe romantique. Pour moi, c'est un fait indiscutable.

– Elle l'a emportée, en effet, et nous, on ne risque rien. La journée a très mal commencé, mais c'est fini, maintenant. On oublie tout et on passe à autre chose.

– Je veux bien, mais… Liz n'est plus ton amie, du coup ?

Maman s'est essuyé le visage avec un torchon à vaisselle.

– Non, et j'ai l'impression que ça fait déjà un bout de temps. Disons que je ne m'en étais pas rendu compte. Allez, va vite te préparer pour l'école.

Ce soir-là, pendant que je faisais mes devoirs, j'ai entendu un glouglou en provenance de la cuisine, et j'ai flairé une odeur de vin. Bien plus puissante que d'habitude – plus forte, même, que les soirs où ma mère et Liz se payaient une bonne cuite.

Il n'y avait pas eu de bris de verre, mais je suis sorti de ma chambre pour voir si maman n'avait pas renversé une bouteille. Je l'ai trouvée dans la cuisine, en train de vider deux bouteilles dans l'évier, une de rouge et une de blanc.

– Pourquoi tu le jettes ? Il n'était plus bon ?

– D'une certaine manière, c'est bien ça. Je crois que ça fait bien huit mois qu'il ne l'est plus. Le moment est venu d'arrêter.

J'ai découvert plus tard que ma mère s'était inscrite aux Alcooliques Anonymes après s'être séparée de Liz, et que l'expérience ne l'avait pas convaincue. (« Des vieux schnocks qui pleurnichent alors qu'ils n'ont pas bu une goutte depuis trente ans. ») Cela dit, je pense qu'elle n'a pas tout à fait décroché : une fois ou deux, j'ai senti l'odeur de l'alcool dans son haleine quand elle venait me souhaiter bonne nuit. Juste un dîner avec un client, peut-être. Et si elle cachait des bouteilles à la maison, je n'en ai jamais eu la preuve, encore que je n'aie pas tellement cherché. Une chose est certaine, je n'ai jamais vu ma mère soûle au cours des années qui ont suivi, et je n'ai pas non plus repéré le moindre signe de gueule de bois. Et ça me suffisait amplement.

20

Après la rupture, je n'ai pas revu Liz Dutton pendant un bout de temps. Une bonne année, peut-être davantage. Au début, elle m'a manqué, mais ça n'a pas duré. Les jours où je la regrettais, je repensais à l'énorme saloperie qu'elle avait faite à ma mère. J'attendais toujours qu'une remplaçante apparaisse pour partager la chambre de maman, mais il n'y en a pas eu. Jamais. Quand je l'ai interrogée là-dessus, ma mère m'a répondu ceci : « Chat échaudé craint l'eau froide. Pour nous, tout va bien, c'est le principal. »

On s'en sortait bien, c'était la vérité. L'agence s'était remise sur les rails grâce à Regis Thomas, qui était resté vingt-sept semaines dans la liste des best-sellers du *New York Times*, et à une poignée d'autres auteurs. L'un d'eux était une découverte de Barbara Means, que ma mère employait désormais à temps plein, et qui allait devenir son associée en 2017. Oncle Harry avait réintégré son centre de soins à Bayonne (même structure, changement de direction) qui, sans être fabuleux, s'était légèrement amélioré. Maman ne se réveillait plus de mauvais poil, et elle s'achetait de nouveaux vêtements. « Bien obligée. En arrêtant le vin, j'ai perdu sept ou huit kilos. »

Pour moi, c'était l'époque du collège, avec ses avantages et ses côtés pourris. Il y avait en tout cas un gros point positif : quand ils n'avaient pas cours en dernière heure, les élèves inscrits à un club sportif pouvaient se rendre au gymnase, en salle de musique ou en salle d'arts plastiques, ou bien rentrer directement chez eux. Je ne jouais que dans l'équipe de basket junior, et en plus la saison était finie, mais je remplissais les critères. Une bonne excuse pour aller traîner dans la salle d'arts plastiques, dans l'espoir d'y rencontrer Marie O'Malley, une fille canon qui peignait des aquarelles. Si je ne la trouvais pas devant son chevalet, je rentrais à la maison. À pied lorsque le temps le permettait (et tout seul, je vous rassure), en bus s'il faisait mauvais.

Le jour où Liz Dutton a refait irruption dans ma vie, je n'avais même pas pris la peine de chercher Marie : on m'avait offert une console de jeux Xbox pour mon anniversaire, et il me tardait d'en profiter. Je m'en allais donc avec mon sac sur le dos (je le portais sur les deux épaules, la sixième appartenait à une ère révolue), lorsque Liz m'a interpellé.

– Salut, champion. Alors, quoi de neuf ?

Elle était adossée à sa voiture, chevilles croisées, vêtue d'un jean et d'un chemisier décolleté. Elle portait un blazer au lieu de sa parka, mais j'ai remarqué l'insigne du NYPD, et elle a relevé un pan de sa veste comme autrefois, pour me montrer son holster. Sauf que cette fois, il n'était pas vide.

– Salut, Liz.

Tête basse, j'ai pris à droite pour descendre la rue.

– Attends une minute, il faut que je te parle.

Je me suis arrêté sans tourner la tête. Comme si Liz avait été Méduse, et qu'un seul coup d'œil à sa chevelure vipérine pouvait me transformer en statue de pierre.

— Je crois que c'est une mauvaise idée. Maman serait furieuse.

— Tu sais, elle n'est pas obligée de le savoir. Regarde-moi, Jamie, s'il te plaît. C'est insupportable de te voir me tourner le dos.

Liz paraissait sincère, et ça m'a fait tellement de peine que j'ai accepté de me retourner. Elle avait refermé sa veste, mais je distinguais au-dessous le renflement de son arme.

— J'aimerais que tu viennes faire un tour avec moi.

— Non, c'est pas un bon plan.

En même temps, je pensais à une certaine Ramona Sheinberg, une fille de mon école. Au début de l'année, on avait quelques cours en commun, et un beau jour elle avait disparu. D'après mon copain Scott Abramowitz, ses parents étaient passés au tribunal pour se partager la garde, et le père en avait profité pour la kidnapper et l'embarquer dans un pays qui n'avait pas d'accords d'extradition avec les États-Unis. Scott espérait qu'il y aurait des palmiers, au moins.

— Cette faculté que tu as, champion. J'en ai besoin. C'est important.

Même si je n'ai pas répondu, Liz a dû comprendre que j'hésitais, parce qu'elle m'a fait un sourire. Un beau sourire qui illuminait ses yeux gris. Aucun orage en vue, à ce moment-là.

— Peut-être que ça ne mènera à rien, mais je veux le tenter. Ou plutôt, je veux que toi, tu le tentes.

— De quoi tu parles ?

Liz n'a rien dit, elle m'a simplement tendu la main.

– À la mort de Regis Thomas, j'ai rendu service à ta mère. Tu peux bien m'aider aujourd'hui, non ?

Concrètement, c'était surtout moi qui avais aidé ma mère, avec Regis Thomas ; Liz s'était bornée à nous faciliter le trajet. D'un autre côté, je n'oubliais pas qu'elle avait pris le temps de m'acheter un burger, alors que ma mère insistait pour qu'on se dépêche ; et quand je n'en pouvais plus de parler, c'était elle qui m'avait donné son Coca pour soulager ma gorge sèche. Ce qui m'a décidé à monter avec elle, probablement. Je n'en étais pas fier, mais je l'ai fait quand même. Les adultes ont une emprise certaine sur les gamins, en particulier quand ils les supplient – comme Liz à cette minute.

J'ai voulu savoir où elle m'emmenait. D'abord Central Park, m'a répondu Liz, et ensuite on enchaînerait sur deux autres endroits, éventuellement. Je l'ai prévenue tout de suite que maman m'attendait pour dix-sept heures, et qu'elle s'inquiéterait si j'étais en retard. Liz m'a promis qu'elle ferait de son mieux, mais ce qu'elle devait faire était d'une extrême importance.

21

Le type qui se surnommait Thumper avait posé sa première bombe à Eastport, sur Long Island. Pas très loin de Speonk, où se trouvait autrefois la case de l'oncle Harry – vous saisissez la référence. En 1996, il avait planqué dans une poubelle un bâton de dynamite relié à un minuteur, à la sortie des toilettes d'un supermarché King Kullen. Il s'était servi d'un réveille-matin premier prix, mais son engin avait fonctionné. L'explosion s'est produite à vingt et une heures, au moment de la fermeture, faisant trois blessés parmi les membres du personnel. Deux d'entre eux s'en sont tirés sans grands dommages, mais le troisième, qui sortait justement des toilettes à l'instant de l'explosion, a perdu un œil et l'avant-bras droit. Deux jours plus tard, les services de police du comté de Suffolk ont reçu un message, tapé sur une machine IBM Selectric. *Alors, mon boulot vous a plu ? La suite est pour bientôt ! THUMPER.*

Avant qu'il y ait un mort, Thumper avait posé pas moins de dix-neuf bombes.

– *Dix-neuf !* s'est exclamée Liz. On peut dire qu'il y a mis du sien. Il a posé des bombes dans les cinq *boroughs*, et même deux ou trois dans le New Jersey pour faire bonne mesure. À Jersey City et à Fort Lee. Toujours de la dynamite, fabriquée au Canada.

Le nombre de blessés et d'estropiés est devenu impressionnant, et il atteignait les cinquante le jour où quelqu'un a eu la malchance d'utiliser une des cabines à pièces de Lexington Avenue. Le premier mort. Après chaque nouvelle explosion, un message parvenait au commissariat du secteur concerné, toujours le même : *Alors, mon boulot vous a plu ? La suite est pour bientôt ! THUMPER.*

Avant la mort de Richard Scalise, la victime de la cabine téléphonique, les attentats étaient relativement espacés : les deux plus rapprochés ont eu lieu à six semaines d'intervalle, et l'accalmie la plus longue a duré quasiment un an. Après Richard Scalise, Thumper a changé de cadence. Les bombes devenaient plus puissantes, les minuteurs plus élaborés. De 1996 à 2009, on a enregistré un total de dix-neuf attaques, vingt si on compte la cabine téléphonique. Mais entre 2010 et la charmante journée de mai 2013 où Liz a refait surface, Thumper a cumulé dix attentats, avec un bilan de trois morts et vingt blessés. À ce stade-là, c'était beaucoup plus qu'une légende urbaine ou un travail de fond pour la police de New York. Thumper était devenu une légende nationale.

Il était très fort pour esquiver les caméras de surveillance, et quand il ne pouvait pas les éviter, on ne distinguait à l'image qu'une silhouette couverte d'un manteau, le visage dissimulé par des lunettes noires et une casquette des Yankees. En plus, il baissait toujours la tête. On apercevait bien quelques mèches blanches sous la casquette, mais rien ne l'empêchait de mettre une perruque. Au cours des dix-sept années de son « règne de la terreur », trois unités spéciales ont été formées pour le traquer. La première a été dissoute à la faveur d'une pause prolongée de Thumper, la police supposant que son règne était terminé. La deuxième unité a fait les frais d'un gros remaniement dans l'administration, et la troisième a été créée en 2011, lorsqu'il est devenu évident que Thumper était passé en surrégime. Liz ne m'a pas révélé tout ça pendant qu'on roulait vers Central Park, je l'ai découvert après, comme tant d'autres choses.

Deux jours plus tôt, la police avait réussi la percée qu'elle espérait depuis si longtemps. Le tueur en série Son of Sam s'est fait choper à cause d'un ticket de stationnement, Ted Bundy parce qu'il avait oublié d'allumer ses phares. Quant à Thumper (de son vrai nom Kenneth Alan Therriault), il s'est fait pincer suite à un banal incident impliquant un gardien d'immeuble et un chariot à poubelles : le jour du ramassage des ordures, le gardien poussait son chariot vers la zone de collecte quand il avait trébuché dans un nid-de-poule, renversant un des containers. En débarrassant les déchets, il était tombé sur un paquet de fils métalliques, et sur un fragment de papier jaune avec le mot CANACO imprimé dessus. Peut-être pas de quoi alerter la police, s'il n'avait pas fait une autre découverte : un détonateur DynoNobel relié à un des fils.

Arrivée à Central Park, Liz s'est garée dans une rangée de voitures de patrouille (Central Park a son propre commissariat, le 22e district, encore une chose que j'ai sue après). Elle a posé sa pancarte habituelle sur le tableau de bord avant de m'entraîner sur la 86ᵉ Rue. On l'a suivie un moment, puis on a bifurqué sur un chemin qui conduisait à la statue d'Alexander Hamilton. Ça, par contre, je l'ai su tout de suite : il m'a suffi de lire l'écriteau. À moins qu'on dise « la plaque », je ne sais pas trop.

Liz m'a donné quelques explications.

– Le commissaire a pris des photos des fils et du détonateur avec son portable, mais l'unité spéciale ne les a reçues que le lendemain.

– Tu veux dire hier.

– Tout à fait. Dès qu'on les a vues, on a su qu'on tenait notre homme.

– À cause du détonateur.

– Oui, mais ce n'est pas tout. Tu sais, ce bout de papier avec une inscription dessus ? CANACO, c'est le nom d'une société canadienne qui produit de la dynamite. On s'est procuré la liste de tous les résidents de l'immeuble, et on en a éliminé la majorité sans avoir besoin de se déplacer. Tu vois, on savait déjà qu'on cherchait un homme, un Blanc célibataire selon toute vraisemblance. On n'a trouvé que six occupants qui cochaient toutes les cases, et un seul qui avait vécu au Canada.

Elle avait piqué ma curiosité.

– Vous avez vérifié sur Google ?

– C'est ça. Et on a constaté, entre autres choses, que le dénommé Kenneth Therriault possédait la double nationalité. Américaine et canadienne. Là-bas, il a travaillé dans le Grand Nord, des contrats dans le bâtiment. Ainsi que dans le fracking et l'extraction de schiste bitumineux. Thumper et lui ne font qu'un, ça semble très probable.

Je n'ai jeté qu'un bref coup d'œil à Alexander Hamilton, juste le temps de lire la notice et de remarquer son pantalon sophistiqué. Liz m'a pris la main pour m'entraîner – ou plutôt me traîner – vers une allée qui nous éloignait de la statue.

– Nous sommes allés sur place avec une équipe du SWAT, mais l'oiseau s'était envolé. Enfin, il n'était pas parti définitivement, puisque ses affaires étaient là. Malheureusement, le commissaire a jugé bon de partager sa grande découverte, alors qu'on lui avait recommandé la discrétion. Il s'est montré un peu trop bavard avec certains habitants de l'immeuble, et la nouvelle a circulé. Et devine ce qu'on a trouvé dans l'appartement ? Une IBM Selectric.

– C'est une machine à écrire ?

– Oui. Et figure-toi que les polices de caractères et les options typographiques correspondaient bien aux messages de Thumper.

Avant d'en venir à l'allée et au banc disparu, je tiens à clarifier quelque chose que j'ai découvert après. Thumper s'était grillé à cause d'une connerie qu'il avait faite, là-dessus Liz ne mentait pas ; le problème, c'était ce « on » qu'elle mettait à toutes les sauces, comme si elle appartenait officiellement à l'unité spéciale. Ce qui n'était pas du tout le cas. Elle avait bien été membre de la deuxième équipe – celle qui n'avait pas résisté à l'énorme restructuration, quand les gens cavalaient dans tous les sens comme des poulets sans tête – mais en 2013, elle n'avait plus qu'un pied dans la maison, et encore ; heureusement pour elle que les flics avaient un syndicat musclé. Le reste de sa personne avait déjà pris la porte. L'Inspection générale lui tournait autour comme une bande de charognards autour d'un animal écrasé, et le jour où elle est venue me chercher à l'école, on ne l'aurait même pas affectée à une unité spéciale dédiée aux fouilleurs de poubelles. Liz avait besoin d'un miracle pour s'en tirer, et c'était sur moi qu'elle misait.

– Dès ce matin, tous les flics de New York ont eu connaissance du nom et du signalement de Therriault. Tous les axes de sortie étaient surveillés par la police ou par des caméras – et ce ne sont pas les caméras qui manquent, je ne t'apprends rien. Coincer ce type mort ou vif est devenu la priorité absolue, parce qu'on a eu peur qu'il décide d'en finir sur un coup d'éclat. Une bombe à Grand Central Station, par exemple, ou chez Saks sur la 5e Avenue. Mais notre homme nous a facilité la tâche.

Liz s'est arrêtée, désignant un espace au bord de l'allée. L'herbe y était tout aplatie, comme si une foule l'avait piétinée.

– Il est venu dans le parc, il s'est assis sur un banc, et là, il s'est fait sauter la cervelle avec un Ruger.45 ACP.

Médusé, j'ai fixé le point qu'elle me montrait.

– Le banc est parti au labo de la Scientifique, à Jamaica, mais tu as devant toi l'endroit où ça s'est passé. Maintenant, on peut en venir à l'essentiel : est-ce que tu le vois ? Il est là ?

J'ai jeté un regard à la ronde. J'ignorais totalement à quoi ressemblait Kenneth Therriault, mais s'il s'était cramé la cervelle, il ne passerait pas inaperçu. J'ai vu des gamins qui lançaient un Frisbee à leur chien (ils lui avaient retiré sa laisse, ce qui était strictement défendu dans Central Park), deux dames qui faisaient du jogging, et deux vieux bonshommes un peu plus loin, en train de lire le journal. Mais personne avec un trou dans le crâne, comme je l'ai rapporté à Liz.

– Et merde ! Bon, tant pis, il nous reste encore deux options, à ma connaissance. Il bossait comme aide-soignant au City of Angels, l'hôpital de la 70e Rue. Pas génial, comparé aux chantiers du Canada, mais il avait dépassé les soixante-dix ans. Et on a aussi l'immeuble où il vivait, dans le Queens. Sur lequel tu paries, champion ?

– Aucun des deux, je veux juste rentrer chez moi. Tu sais, il pourrait être n'importe où.

– Ah oui ? J'avais cru comprendre qu'ils traînaient dans les endroits qu'ils fréquentaient de leur vivant. Provisoirement, du moins, avant de s'évaporer pour de bon.

Elle avait raison, même si je ne me rappelais pas le lui avoir expliqué en ces termes. Et j'avoue que je m'identifiais de plus en plus à Ramona Sheinberg. À un gosse kidnappé, si vous préférez.

– Qu'est-ce que ça change ? Il est mort, après tout. L'affaire est bouclée.

– Pas tout à fait.

Liz s'est penchée pour me regarder droit dans les yeux. Elle n'a pas eu besoin de beaucoup se baisser, j'avais pas mal poussé en 2013. J'étais encore loin de mon mètre quatre-vingts, mais j'avais pris des centimètres.

– On a trouvé un message épinglé à sa veste, je te cite le contenu : *Il en reste encore une, et c'est du lourd. Je vous emmerde, rendez-vous en Enfer.* Signé THUMPER.

Une information qui changeait sérieusement la donne.

22

On a commencé par passer à l'hôpital, puisque c'était le plus proche des deux. Pas de cervelle cramée en vue devant les portes, seulement une poignée de fumeurs. On s'est donc dirigés vers le service des urgences, où pas mal de gens attendaient leur tour. J'ai repéré un gars qui saignait de la tête, mais la plaie semblait provenir d'une coupure, pas d'une balle de revolver, et, en plus, il me paraissait bien trop jeune pour cadrer avec le signalement de Therriault. Par acquit de conscience, j'ai demandé à Liz si elle le voyait, et elle m'a répondu que oui.

À l'accueil, elle a montré son insigne en annonçant qu'elle était inspectrice au NYPD, puis elle s'est renseignée sur le vestiaire du personnel. Il y avait bien une salle où les gens se changeaient avant de prendre leur service, nous a indiqué l'employée, mais d'autres policiers étaient déjà venus vider le casier de Therriault. Liz a voulu savoir s'ils étaient toujours sur les lieux, mais non, tout le monde était reparti depuis plusieurs heures.

– J'aimerais quand même y jeter un coup d'œil. Vous m'expliquez où c'est ?

La dame de l'accueil nous a dit de descendre au niveau B

par l'ascenseur, et de tourner à droite. Et elle a ajouté en me souriant :

– Alors, jeune homme, on aide maman dans son enquête ?

J'ai eu envie de répliquer : *C'est pas ma mère, mais oui, je l'aide, parce qu'elle espère que je verrai Mr Therriault s'il traîne encore dans les parages.* Mais elle n'allait pas gober ça, naturellement. Liz, par contre, n'était pas à court d'inventions. D'après sa version des faits, l'infirmière scolaire supposait que j'avais une mononucléose, et elle comptait profiter de son déplacement professionnel pour me faire examiner. Faire d'une pierre deux coups, comme on dit.

– Vous feriez mieux de consulter votre médecin traitant, lui a conseillé la dame. Ici, c'est un vrai bazar, aujourd'hui. Il y a plusieurs heures d'attente.

– Vous avez sûrement raison.

Je n'en revenais pas que Liz reste aussi naturelle, elle mentait avec une facilité ahurissante. Sincèrement, je n'aurais pas su dire si j'étais dégoûté ou admiratif. Les deux à la fois, sans doute.

Quand l'employée s'est penchée vers nous, j'ai lorgné d'un œil fasciné sa monumentale poitrine qui repoussait un tas de paperasses. Elle ressemblait au brise-glace que j'avais vu dans un film. Elle nous a dit un ton plus bas :

– Tout le monde est sous le choc, bien évidemment. Ken était le plus âgé de nos aides-soignants, et aussi le plus gentil. Sérieux dans son travail, et serviable comme tout. Il était toujours ravi de faire plaisir, toujours souriant. Quand je pense qu'on avait un *assassin* parmi nous ! Vous savez ce que ça prouve ?

Liz a secoué la tête, il lui tardait manifestement d'en finir.

– Qu'on ne peut jamais savoir, a conclu la dame, l'air de nous révéler une profonde vérité. On ne peut jamais savoir !

– Il savait bien donner le change, c'est sûr, a dit Liz.

Qui était bien placée pour en parler.

Je lui ai demandé quand on a repris l'ascenseur :

– Si tu fais partie de l'unité spéciale, comment ça se fait que tu ne sois pas venue avec eux ?

– Réfléchis cinq minutes, champion. Tu t'imaginais que j'allais te présenter à l'équipe, ou quoi ? C'était déjà assez embêtant de devoir sortir des salades sur ton compte à l'accueil. (Et elle m'a demandé lorsque les portes se sont ouvertes :) Si jamais on te pose des questions, qu'est-ce que tu es censé répondre ?

– La mononucléose.

– Parfait.

Je n'ai pas eu à me justifier, parce que la salle du personnel était vide, l'entrée barrée d'un ruban en plastique : ACCÈS INTERDIT ENQUÊTE DE POLICE. Liz m'a pris la main, et on s'est glissés au-dessous. La pièce contenait des bancs, quelques chaises et une douzaine de casiers, ainsi qu'un réfrigérateur, un four à micro-ondes et un grille-pain, avec une boîte de Pop Tarts entamée dans laquelle j'aurais volontiers pioché. Mais pas de Kenneth Therriault.

Sur chaque casier, un nom était inscrit sur une étiquette plastifiée. Comme il restait de la poudre à empreintes sur celui de Therriault, Liz a protégé sa main avec un mouchoir. Elle a ouvert la porte très, très lentement, à croire qu'elle s'attendait à le voir jaillir comme un croque-mitaine planqué dans la penderie d'un gamin. Therriault avait tout du croque-mitaine, c'est vrai, mais il n'était pas là. Il ne restait rien dans son casier, les flics avaient tout raflé.

Elle a juré de nouveau, tandis que je regardais l'heure sur mon téléphone. Quinze heures vingt.

– Je sais, je sais, a fait Liz, accablée par la déception.

Je lui en voulais beaucoup de m'avoir embarqué de cette façon, mais en même temps, j'avais de la peine pour elle, c'était plus fort que moi. Je n'avais pas oublié la remarque de Mr Thomas concernant le « coup de vieux » de ma mère, et elle aurait pu s'appliquer à son ex. Liz avait maigri, en plus. Cela dit, je dois admettre qu'à ce moment-là, je ne pouvais pas m'empêcher de l'admirer un peu : elle s'efforçait d'agir pour le mieux et de sauver des vies. Comme un héros de cinéma, le genre de loup solitaire qui enquête de son côté pour résoudre une affaire. Elle se souciait peut-être sincèrement des innocents qui risquaient de finir pulvérisés par la dernière bombe de Thumper – c'est même tout à fait probable. Mais aujourd'hui, je sais qu'elle avait surtout à cœur de sauver son boulot. Ça me gêne de penser que c'était sa préoccupation majeure, mais à la lumière de ce qui s'est produit après, je suis bien forcé de le croire.

– OK, on tente un dernier truc. Et arrête de regarder ce foutu téléphone ! Je sais bien que l'heure tourne, champion, et que ta mère va te passer un savon si je te ramène en retard. Mais comparé à ce qui m'attend, c'est vraiment du gâteau.

– Avant de rentrer à la maison, elle va sûrement prendre un verre avec Barbara. Barbara fait partie de l'agence, maintenant.

Je ne sais pas trop ce qui m'a poussé à lui dire ça. Sans doute que je tenais à sauver des vies innocentes, moi aussi, même si ce projet me semblait assez théorique. Parce que, vous voyez, je ne croyais pas un instant qu'on allait retrouver Kenneth Therriault. Je pense que ce qui m'a décidé, c'est de voir Liz tellement abattue, le dos au mur.

– Bon, la chance nous a souri une fois, m'a-t-elle dit. Espérons que ça va se reproduire.

23

La résidence Frederick Arms comptait une douzaine d'étages, peut-être un peu plus. Revêtement en briques grises, barreaux aux fenêtres sur les deux premiers niveaux. Pour un gamin qui avait grandi sur Park Avenue, le bâtiment évoquait moins un immeuble d'habitation que le pénitencier des *Évadés*.

Il était bien évident qu'on n'avait aucune chance d'entrer, et encore moins d'accéder à l'appartement de Therriault : l'endroit grouillait littéralement de flics. Des curieux s'étaient postés sur la chaussée pour prendre la scène en photo, en s'approchant au maximum des barrières de sécurité. Les camionnettes à parabole de la télévision stationnaient des deux côtés de la voie, au milieu d'un fouillis de câbles entortillés. Il y avait même un hélico de Channel 4 en vol stationnaire.

– Regarde ! ai-je crié. C'est Stacy-Anne Conway, de NY1 !

– Et tu crois que j'en ai quelque chose à battre ?

Je n'ai pas insisté.

Je pensais qu'on avait eu du bol de ne pas tomber sur la presse à Central Park et à l'hôpital, mais la vraie raison, c'est qu'ils étaient tous devant l'immeuble. J'ai surpris une larme qui coulait sur la joue de Liz, et il m'est venu une idée.

– Et si on allait à son enterrement ? Il y sera peut-être.

– Je suppose qu'il va être incinéré. Dans la plus stricte intimité, aux frais de la municipalité. Il n'avait plus de famille, ils sont tous morts avant lui. Je vais te raccompagner chez toi, champion. Je suis désolée de t'avoir trimbalé comme ça.

– C'est pas grave, tu sais.

Je lui ai tapoté la main. Maman n'aurait pas apprécié, mais bon, elle n'était pas là.

Liz a fait demi-tour avant de se diriger vers le pont de Queensboro. À un bloc de distance du Frederick Arms, j'ai tourné les yeux vers une supérette.

– Mon Dieu. Il est là.

Liz a écarquillé les yeux, abasourdie.

– Tu en es certain, Jamie ? Sûr et certain ?

J'ai baissé la tête pour vomir entre mes baskets. Assez éloquent, comme réponse.

24

Difficile de dire s'il était en aussi mauvais état que le cycliste de Central Park. Des années avaient passé, et ce mort était peut-être pire, finalement. Une fois qu'on a vu ce qu'un acte de violence – accident, meurtre ou suicide – est capable d'infliger à un corps humain, les comparaisons n'ont plus tellement de sens. Pour faire bref, Kenneth Therriault, alias Thumper, était dans un sale état. Un très sale état, même.

Il y avait deux bancs devant la supérette, un de chaque côté des portes – je suppose que les clients s'y installaient parfois avec leur casse-croûte. Therriault était assis là, mains posées sur les cuisses, vêtu d'un pantalon en toile. Les passants défilaient devant lui, en route vers je ne sais où. Un jeune Noir est entré dans le magasin, sa planche de skate calée sous le bras. Une dame en est sortie avec un café fumant dans un gobelet en carton. Ni l'un ni l'autre n'ont jeté un seul regard au banc qu'il occupait.

J'ai pensé qu'il était droitier, parce que le côté droit de sa tête n'était pas trop amoché. Il avait un trou à la tempe de la taille d'une pièce de dix cents, entouré d'une auréole noire causée par un hématome ou par des résidus de poudre. Je parierais sur la poudre, en fait : le décès avait été trop brutal pour qu'un hématome ait le temps de se former.

C'était la moitié gauche qui avait le plus souffert, à l'endroit où la balle était ressortie. Là, le trou était presque aussi large qu'une assiette à dessert, cerné par les arêtes des os déchiquetés. Les chairs bouffies semblaient gonflées par une monstrueuse infection. Son œil gauche saillait de l'orbite, dévié par l'impact. Et surtout, il y avait ces petits morceaux grisâtres qui lui dégoulinaient sur la joue. Sa cervelle.

– Ne t'arrête pas, Liz, continue de rouler.

L'odeur du vomi me collait aux narines, son goût s'attardait dans ma bouche pâteuse.

– S'il te plaît, Liz, je peux pas.

Mais elle ne m'a pas écouté : elle a braqué pour aller se garer contre le trottoir à l'extrémité du bloc, près d'une bouche d'incendie.

– Tu n'as pas le choix, champion. Et moi non plus. Je regrette, mais il faut qu'on sache. Allez, remets-toi, je ne voudrais pas que les gens s'imaginent que je te maltraite.

C'est précisément ce que tu es en train de faire. Et tu ne me lâcheras pas avant d'avoir obtenu ce que tu veux.

Le goût des raviolis du déjeuner m'est remonté dans la bouche, et ça a suffi pour que je me remette à vomir, portière ouverte. Comme le jour de l'accident à Central Park, quand j'avais dû renoncer à la fête de Lily dans son quartier branché de Wave Hill. Une sensation de *déjà-vu** dont je me serais passé.

– Champion ! *Champion ?*

Quand je me suis retourné, elle m'a tendu un tas de Kleenex (je crois que toutes les femmes du monde en gardent un paquet dans leur sac à main).

– Essuie-toi la bouche avant de descendre. Et fais en sorte d'avoir l'air normal. Il faut qu'on règle ça.

Sa détermination ne laissait aucun doute, on ne repartirait pas tant qu'elle n'aurait pas obtenu satisfaction. Je me suis encouragé mentalement. *Un peu de cran, je suis capable d'y arriver. Je n'ai pas le choix. Il y a des vies en jeu.*

Je me suis nettoyé la bouche et je suis sorti de voiture. Liz a posé sa fameuse pancarte sur le tableau de bord (le joker des policiers, en quelque sorte), puis elle a fait le tour pour me rejoindre sur le trottoir. En arrêt devant une laverie, je regardais une femme occupée à plier du linge. Rien de bien palpitant, mais ça m'évitait de poser les yeux sur le bonhomme ravagé assis un peu plus loin. Du moins pour le moment. Et le pire, c'est qu'on allait devoir se parler. À condition qu'il en soit capable, bien sûr.

Machinalement, j'ai tendu la main à Liz. À treize ans, j'avais sûrement passé l'âge de donner la main à une femme qui pouvait passer pour ma mère aux yeux des badauds (à supposer qu'ils en aient eu quelque chose à faire), mais j'étais content qu'elle accepte. Trop content.

Nous avons pris la direction de la supérette. J'aurais aimé qu'elle soit à des kilomètres de là, mais il n'y avait que la moitié d'un bloc à parcourir.

– Où est-il, exactement ? a chuchoté Liz.

J'ai risqué un coup d'œil pour m'assurer qu'il n'avait pas bougé. Il était là, en effet, et j'avais vue sur le cratère qui avait

abrité ses pensées. L'oreille gauche restait plus ou moins atta-
chée au crâne, mais si déformée qu'elle m'a rappelé le Monsieur
Patate de ma petite enfance. Mon estomac a refait une vrille.

– Reprends-toi, champion.

J'ai trouvé la force de la rembarrer :

– Arrête de m'appeler comme ça. Je supporte pas.

– C'est noté. Alors, où est-il ?

– Là, assis sur le banc.

– De ce côté-ci, ou bien…

– Oui, de ce côté.

Maintenant qu'on s'était rapprochés, j'étais bien obligé de le
regarder, et j'ai remarqué alors un détail intéressant. Un homme
sortait du magasin avec un journal sous le bras, et un hot-dog
dans un de ces sachets en alu qui conservent soi-disant la chaleur
(c'est ça, oui, et la marmotte, elle enveloppe le chocolat). Il a fait
mine de s'asseoir sur l'autre banc, tirant déjà son sandwich de
l'emballage, mais là, il s'est arrêté net. Son regard a glissé vers
nous ou vers le banc, je ne sais pas trop, et il est reparti illico
pour aller avaler son en-cas ailleurs. Sûr et certain qu'il n'avait
pas vu Therriault – sinon il aurait détalé en beuglant comme
un possédé –, mais je crois qu'il a *senti* sa présence. Ou plutôt,
je le *sais*. Je regrette de ne pas avoir été plus attentif, mais, sur
le moment, j'étais trop chamboulé – vous le comprendrez sans
peine, pas besoin d'être bien malin.

Therriault a tourné la tête. Un soulagement pour moi,
puisqu'il me cachait à peu près le trou du côté gauche, mais
un soulagement très relatif : vu sous cet angle, il ressemblait pas
mal à Double-Face dans *Batman*, une partie du visage intacte,

l'autre moitié défoncée et boursouflée. Et pour tout arranger, son regard était fixé sur moi.

Ils savent quand je les vois, c'est comme ça depuis toujours.

– Demande-lui où est la bombe, a soufflé Liz en remuant à peine les lèvres, comme une espionne dans un film comique.

Une femme qui passait avec son enfant dans un porte-bébé m'a jeté un regard soupçonneux. À cause de mon air bizarre, peut-être, ou de mon odeur de vomi. À ce stade-là, c'était le cadet de mes soucis. Tout ce qui m'importait, c'était d'en finir avec ce que Liz attendait de moi, et de me tirer de là au plus vite. Dès que la femme est entrée dans l'épicerie, j'ai demandé à Therriault :

– Où est la bombe, Mr Therriault ? La dernière, je veux dire ?

Comme il ne me répondait pas, j'en ai déduit que l'état de son cerveau ne lui permettait pas de parler. Je me croyais débarrassé du problème, lorsqu'il a articulé quelques mots. Les sons n'étaient pas vraiment raccord avec les mouvements de ses lèvres, et il m'a semblé qu'il s'adressait à moi depuis un lieu très lointain. Un différé en provenance de l'Enfer. L'impression était terrifiante, et si j'avais su alors qu'une chose hideuse prenait possession de lui à cet instant précis, j'aurais flippé cent fois plus. Mais est-ce que c'est le cas ? Est-ce que j'en suis sûr ? Non, mais presque.

– Je ne te le dirai pas.

Sa réponse m'a laissé sans voix. C'était bien la première fois qu'un mort réagissait de cette manière. Certes, mon expérience était limitée, mais j'avais cru comprendre qu'ils devaient tous dire la vérité. Sans faute et sans exception.

– Qu'est-ce qu'il raconte ? m'a chuchoté Liz sur le mode espionnage.

Je l'ai ignorée pour retenter ma chance. Vu qu'il n'y avait personne à proximité, j'ai haussé le ton en détachant bien les syllabes, comme si je parlais à un sourd, ou à quelqu'un qui ne maîtrisait pas bien ma langue.

– Où… est… la… dernière… bombe ?

J'aurais pu jurer aussi que les morts étaient insensibles à la douleur, qu'elle ne les concernait plus, et c'est vrai que Therriault ne paraissait pas beaucoup souffrir de la blessure cataclysmique qu'il s'était infligée. Pourtant, sa figure à moitié difforme a commencé à se tordre, comme si je l'avais brûlé ou poignardé en plein ventre au lieu de lui poser une simple question.

– Je ne te le dirai pas !

– Qu'est-ce qu'il…

Liz s'est interrompue car la femme au porte-bébé sortait du magasin. Elle venait d'acheter un billet de loterie, et le marmot grignotait un Kit-Kat en se barbouillant le visage de chocolat. Ses yeux se sont posés sur le banc de Therriault, et aussitôt il a fondu en larmes. La mère a dû s'imaginer que c'était ma faute, parce qu'elle m'a encore lancé un regard, ultra-soupçonneux cette fois, avant de s'éloigner d'un bon pas.

– Champion… Pardon – Jamie…

– Boucle-la. Et j'ai ajouté « s'il te plaît », sachant que ma mère aurait détesté que je parle aussi mal à une adulte.

J'ai reporté mon attention sur Therriault, dont le rictus de douleur rendait plus terrible le visage massacré. Tout à coup, j'ai fait taire mes scrupules. Après tout, ce type avait abîmé assez de gens pour remplir tout un service hospitalier, il avait même tué plusieurs personnes, et si le message épinglé à sa veste disait vrai, il était mort avec l'intention de faire de nouvelles victimes. Tout bien réfléchi, j'espérais sincèrement qu'il allait en baver.

– Elle… est… où… espèce… de… salopard ?

Il s'est plié en deux en poussant une plainte, les mains sur le ventre comme s'il avait des crampes. Et il a fini par céder.

– Le King Kullen. Le supermarché King Kullen à Eastport.

– Pourquoi ?

– J'ai voulu terminer où j'avais commencé, ça me paraissait bien. Pour que la boucle soit bouclée.

Ses doigts ont tracé un cercle dans le vide.

– Non. Je voulais dire, pourquoi avoir fait tout ça ? Les bombes que vous avez posées.

Quand il m'a souri, le côté amoché de sa figure s'est relevé avec un petit chuintement. Je revois encore la scène. Jamais elle ne s'effacera de ma mémoire.

– Parce que.

– Parce que quoi ?

– Parce que j'en avais envie.

25

Lorsque je lui ai raconté ce que m'avait révélé Therriault, Liz n'a manifesté que de l'enthousiasme. Trop facile – ce n'était pas elle qui avait eu sous les yeux sa figure à moitié arrachée. Elle m'a averti qu'elle devait faire une course à la supérette.

– Tu comptes me laisser seul avec *lui* ?

– Non, tu vas aller m'attendre à côté de la voiture. J'en ai pour cinq minutes, à tout casser.

Assis sur le banc, Therriault me fixait du regard – un œil à peu près normal, l'autre qui lui sortait de l'orbite. En le sentant peser sur moi, je me suis souvenu des poux que j'avais attrapés une année, en colonie de vacances : pour m'en débarrasser, j'avais été obligé de me shampouiner cinq ou six fois avec un produit infect.

Bien entendu, un shampoing n'aurait pas suffi à chasser la sensation que provoquait Therriault. Je devais absolument m'éloigner de lui, et j'ai fait ce que me demandait Liz. Devant la laverie, je me suis arrêté pour observer la femme qui pliait du linge. Elle m'a fait bonjour de la main, et j'ai tout de suite repensé à la petite fille avec un trou dans la gorge. Qui m'avait fait bonjour, elle aussi, et pendant quelques terribles secondes, j'ai cru que l'employée de la laverie était morte. Mais les morts ne rangent pas des piles de linge, ils se contentent de traîner sans rien faire. Ou de rester assis quelque part, comme Therriault. Je lui ai donc rendu son salut, m'efforçant même de lui sourire.

Puis j'ai de nouveau regardé vers la supérette en essayant de me convaincre que c'était pour chercher Liz ; mais dans le fond, je voulais savoir si Therriault était toujours là, en train de me suivre des yeux. La réponse était oui : il a levé la main en repliant trois doigts, puis a pointé l'index vers moi avant de le recourber pour me faire signe d'approcher, très lentement.

Viens par ici, petit.

Contre ma volonté, mes jambes m'ont porté vers lui. Manifestement, j'avais perdu le contrôle.

– Elle se fiche pas mal de toi, tu sais. Tu comptes pour que dalle. Elle t'utilise, petit, c'est tout.

– Je vous emmerde. Nous, on est en train de sauver des vies.

Même s'il y avait eu du monde sur le trottoir, personne ne m'aurait entendu : face à Therriault, il ne me restait plus qu'un minuscule filet de voix.

– C'est plutôt son boulot qu'elle veut sauver.

– Qu'est-ce que vous en savez ? Vous êtes juste un pauvre taré.

C'était tout juste si j'arrivais à chuchoter et, pour un peu, j'aurais mouillé mon pantalon.

Pour toute réponse, Therriault a grimacé un sourire.

À cet instant, Liz est ressortie du magasin avec un de ces sacs en plastique qu'on donnait dans les commerces à l'époque.

Elle a d'abord regardé le banc avec son occupant esquinté, et moi ensuite.

– Qu'est-ce que tu fais là, cham... Jamie ? Je t'avais demandé de m'attendre près de la voiture.

Avant d'avoir pu répliquer, j'ai été projeté sans transition dans le rôle de l'accusé en plein interrogatoire, comme dans les séries télé.

– Alors, il t'a raconté autre chose ?

Que tu cherches juste à sauver ton boulot. Mais peut-être que j'avais déjà deviné.

– Non. Liz, je veux rentrer à la maison.

– Oui, promis. Mais il me reste encore une chose à faire. Ou plutôt deux : je dois nettoyer les dégâts que tu as faits dans ma voiture.

Elle m'a entouré de son bras comme une mère attentionnée, et nous sommes passés de nouveau devant la laverie. J'aurais volontiers salué l'employée, si elle n'avait pas eu le dos tourné.

– J'avais un plan, m'a dit Liz. Je doutais beaucoup de pouvoir le mettre à exécution, mais grâce à toi...

Arrivée devant la voiture, elle a tiré de son sac de courses un téléphone prépayé, toujours emballé dans son film plastique. Pendant qu'elle tripotait le portable pour le mettre en marche, je me suis appuyé contre la vitrine d'une cordonnerie. Il était déjà seize heures quinze, et si maman était bel et bien allée boire un verre avec Barbara, il nous restait une chance de rentrer avant elle... Mais est-ce que je pouvais garder le secret sur nos aventures de l'après-midi ? Je ne savais pas trop, et j'avoue que ça m'était un peu égal. J'aurais aimé que Liz s'éloigne au moins de ce bout de rue – après le service que je venais de lui rendre, elle pouvait bien supporter mon vomi cinq minutes de plus. Mais elle était trop à cran pour y penser. Et puis la bombe était une urgence, j'en avais bien conscience. J'avais vu des tas de films où le compte à rebours touchait à sa fin, alors que le héros se demandait encore s'il fallait couper le fil rouge ou le fil bleu.

Liz a passé un appel.

– Colton ? Oui, c'est... Ferme-la et écoute-moi. Le moment est venu de me renvoyer l'ascenseur. Tu sais que tu as une dette envers moi, et pas une petite. Voilà, je vais t'expliquer précisément ce que tu dois raconter. Enregistre bien... *Je t'ai dit de la fermer !*

Le ton était tellement agressif que j'ai eu un mouvement de recul. Jamais je n'avais vu Liz dans cet état, et j'ai réalisé que, jusque-là, je ne connaissais rien de l'autre partie de sa vie. Sa vie de policière, qui la mettait en contact avec les pires ordures.

– Tu enregistres, tu notes, et tu me rappelles après. Grouille-toi.

J'ai coulé un regard vers la supérette : les deux bancs étaient vides. Bizarrement, je n'ai pas ressenti le soulagement escompté.

– Tu es prêt ? a demandé Liz à son interlocuteur. (Elle a fermé les yeux, entièrement concentrée sur ce qu'elle avait à dire, puis elle a articulé lentement, en faisant très attention à ses mots :) « Si Ken Therriault était bien Thumper... » Et là, je t'interromps pour dire que je veux t'enregistrer, OK ? Et tu attends que je te dise « Allez-y, on recommence. » C'est clair ? (Elle a patienté jusqu'à ce que le dénommé Colton confirme.) Tu vas dire « Si Ken Therriault était bien Thumper, il a toujours parlé de terminer là où il avait commencé. Je vous contacte suite à un entretien qu'on a eu en 2008. J'avais gardé votre carte. » Tu as bien compris ? (Encore une pause, puis Liz a hoché la tête.) Impec. Là, je te demande ton nom, et tu raccroches aussitôt. Dépêche-toi, le temps presse. Et ne fais pas le con, sinon je t'assure que tu vas morfler. Tu sais de quoi je suis capable.

La communication terminée, Liz a patienté en faisant les cent pas. J'ai jeté un coup d'œil vers le banc. Toujours rien. Peut-être que Therriault – ou ce qui subsistait de lui – était parti vers son bon vieil immeuble, histoire de profiter du spectacle.

Un air de pop s'est échappé de la poche de Liz, l'intro à la batterie de « Rumor Has It » d'Adele. Elle a sorti de sa veste son téléphone normal, a écouté une minute.

– Ne quittez pas, je voudrais vous enregistrer. C'est bon, on recommence.

Lorsqu'ils ont eu conclu leur petit numéro, elle a commenté en rangeant son portable :

– Pas aussi convaincant que je le souhaitais, mais je pense qu'ils s'en contenteront.

– Sans doute, du moment qu'ils trouvent la bombe.

Liz a sursauté, et j'ai compris que ce n'était pas à moi qu'elle parlait. Maintenant qu'elle avait ce qu'elle cherchait, je n'étais plus qu'un bagage encombrant.

À la supérette, elle avait acheté un aérosol de désodorisant et un rouleau de Sopalin, qu'elle a utilisé pour éponger le vomi avant de balancer le tout dans le caniveau (c'est cent dollars d'amende, je l'ai su après). Pour finir, elle a vaporisé un produit qui sentait les fleurs.

– Allez, tu peux monter.

J'avais détourné le regard pour éviter la bouillie de raviolis (Liz pouvait bien nettoyer toute seule, elle me devait largement ça), mais quand je me suis déplacé pour monter dans la voiture, j'ai vu que Therriault se tenait juste derrière, près du coffre. Il souriait toujours de la même façon, assez proche de moi pour pouvoir me toucher en allongeant le bras. J'aurais peut-être hurlé si cette vision ne m'avait pas coupé le souffle ; mes poumons n'avaient plus la force de se remplir d'oxygène. Comme si tous mes muscles avaient déclaré forfait.

– À la prochaine, m'a dit Therriault. (Son sourire s'est élargi, me révélant un caillot de sang entre sa joue et ses dents.) *Champion*.

26

Liz n'a parcouru que trois blocs avant de faire un arrêt. Là, elle a ressorti son portable (le normal, pas le prépayé) et s'est aperçue que je tremblais. Un câlin n'aurait pas été superflu, mais je n'ai eu droit qu'à une petite tape sur l'épaule en guise de réconfort.

— C'est le contrecoup, lascar. Je connais ça. Pas de souci, ça va passer.

Elle a lancé son appel, demandant Gordon Bishop de la part de l'inspecteur Dutton. (On a dû lui répondre qu'il était occupé, parce qu'elle s'est énervée.)

— Peu importe qu'il soit parti sur Mars, débrouillez-vous pour me le passer. Priorité absolue.

Elle a patienté une minute en tambourinant sur le volant, puis elle s'est redressée sur son siège.

— Gordon, c'est Liz Dutton. Non, je sais bien... mais il faut que vous m'écoutiez. Je viens d'avoir une info par quelqu'un que j'ai interrogé à l'époque... Non, je ne connais pas son identité. Vous devez aller faire un tour au King Kullen d'Eastport. C'est ça, là où il a commencé. Quand on y réfléchit, il y a une certaine logique. (Elle s'est tue une minute, le temps d'écouter ce qu'on lui disait.) Vous rigolez ? On a interrogé combien de gens, au total ? Cent ? Deux cents ? Un instant, je vais vous faire entendre la conversation. J'ai tout enregistré. Espérons que mon portable a fonctionné.

Liz savait pertinemment que oui, puisqu'elle avait déjà vérifié en chemin. Elle a attendu que le message ait défilé, puis :

– Gordon ? Est-ce que... Et merde. Il a raccroché, m'a-t-elle dit avec un sourire lugubre. Il me hait, mais il vérifiera quand même. Il sait très bien que s'il ne le fait pas, je ne le lâcherai plus.

L'inspecteur Bishop est allé vérifier, Liz ne se trompait pas. Il se trouve qu'à ce moment-là, ils avaient déjà fouillé dans le passé de Therriault et déniché une pépite qui prenait toute sa valeur suite au « tuyau anonyme » que Liz leur avait transmis. Bien avant sa carrière dans le bâtiment et ses années d'aide-soignant au City of Angels, Therriault avait vécu dans la ville de Westport. À deux pas d'Eastport, en fait. En terminale, il avait été livreur et magasinier au supermarché King Kullen, où on l'avait surpris en train de faucher. La première fois, il avait seulement reçu un avertissement, mais il s'était fait virer après avoir récidivé. Ce qui ne l'avait pas guéri de sa manie du vol : par la suite, il était passé à la dynamite et aux détonateurs. Une réserve bien fournie avait été découverte dans un box loué à son nom, quelque part dans le Queens. Du matériel ancien, fabriqué intégralement au Canada. Apparemment, les contrôles à la frontière étaient beaucoup plus souples à l'époque.

– Liz, tu peux me raccompagner ? S'il te plaît.

– Oui, on y va. Tu as l'intention de raconter tout ça à ta mère ?

– J'en sais rien.

Liz a fait un sourire.

– Ma question était purement rhétorique. Tu vas lui en parler, c'est évident. Et je n'y vois aucun inconvénient. Tu sais pourquoi ?

– Parce que personne ne croirait une chose pareille.

– Gagné, champion. (Elle m'a tapoté la main.) Tu as tout compris.

27

Liz m'a déposé au coin de la rue avant de filer à toute allure, et j'ai terminé à pied. En définitive, ma mère n'était pas allée boire un verre avec son assistante. Barbara avait attrapé un rhume, et elle était rentrée directement chez elle. J'ai trouvé maman sur le perron de notre immeuble, son téléphone à la main.

Dès qu'elle m'a aperçu, elle a dévalé les marches et, dans sa panique, m'a serré si fort que j'en ai eu la respiration coupée.

– Merde, James ! Où tu étais passé ?

Elle ne m'appelait James que pour les engueulades carabinées, vous l'aurez deviné.

– Je n'en reviens pas que tu sois aussi inconscient. J'ai téléphoné *partout*, je commençais à croire qu'on t'avait enlevé. J'ai même envisagé de prévenir…

Elle m'a écarté un peu pour me regarder, et j'ai bien vu qu'elle avait pleuré. Ses larmes se sont remises à couler, et franchement, je n'étais pas fier de moi, même si ce n'était pas ma faute. Il n'y a qu'une mère pour vous donner l'impression d'être plus minable qu'un étron géant.

– C'était Liz ? (Elle n'a même pas attendu confirmation.) Je vois, c'était bien elle.

Un ton plus bas, elle a lâché d'un air assassin :

– Quelle salope.

– J'étais obligé de l'accompagner, maman. Je n'avais pas le choix.

Et ç'a été mon tour de fondre en larmes.

28

Nous sommes rentrés à la maison, et maman a préparé du café. Ce soir-là, j'ai bu le premier café de ma vie, et j'en raffole depuis. J'ai presque tout raconté à ma mère : Liz qui m'attendait devant l'école ; la nécessité de localiser la dernière bombe de Thumper, qui menaçait des vies humaines ; notre passage à l'hôpital et devant l'immeuble de Therriault. Je lui ai même décrit l'horreur de sa figure dévastée, toute défoncée d'un côté. Par contre, j'ai passé sous silence l'instant où je l'avais vu derrière moi, à côté de la voiture de Liz, assez proche pour pouvoir m'attraper par le bras... si tant est qu'un mort puisse attraper quoi que ce soit. Chose que je n'avais pas du tout, du tout, envie de savoir. Je ne lui ai pas non plus rapporté ses paroles, mais ce soir-là, quand je suis allé me coucher, elles résonnaient dans ma tête comme une cloche fêlée : « À la prochaine. *Champion.* »

Tout au long de mon récit, maman a répété *Oui, oui, je comprends*, l'air de plus en plus atterrée. Il fallait pourtant qu'elle sache ce qui se passait à Long Island, et moi aussi, je devais savoir. Elle a donc allumé la télévision, et on s'est installés tous les deux sur le canapé. Lewis Dodley, le reporter de NY1, faisait son speech depuis une rue fermée par des barrières de sécurité. « Il semblerait que les policiers prennent cette information très au sérieux. Selon une source des services de police du comté de Suffolk… »

Me rappelant l'hélico qui survolait le Frederick Arms, j'ai pris la télécommande sur les genoux de maman pour passer sur Channel 4 ; dans l'intervalle, l'appareil avait eu le temps de se déplacer jusqu'à Long Island. Comme je m'y attendais, le toit du King Kullen est apparu à l'écran. Le parking du supermarché était plein de véhicules de police, et la camionnette garée devant l'entrée appartenait certainement à l'équipe de déminage. Deux flics casqués ont pénétré à l'intérieur, accompagnés de deux chiens harnachés. L'hélicoptère avait trop d'altitude pour que je puisse distinguer les gilets pare-balles et les gilets pare-éclats, mais je parie qu'ils en portaient. Les chiens, par contre, n'étaient pas protégés. Si la bombe explosait, ils seraient réduits en charpie.

Le journaliste à bord de l'hélico a pris la parole. « Nous avons appris que les clients et le personnel du supermarché ont été évacués sans encombre. Il se peut qu'il s'agisse encore d'une fausse alerte – il y en a eu souvent pendant le règne de la terreur de Thumper. (Il a dit ça, je vous assure.) Toutefois, prendre la chose au sérieux est certainement la solution la plus sage. À l'heure actuelle, nous savons seulement que c'est à cet endroit que Thumper a posé sa première bombe, et qu'aucun engin explosif n'a été découvert sur les lieux. À vous les studios. »

Un portrait de Therriault s'est affiché sur l'écran, derrière le présentateur. Peut-être la photo de sa fiche d'employé à l'hôpital, vu qu'il paraissait assez âgé. Sans avoir l'air d'un jeune premier, il avait nettement meilleure mine que tout à l'heure, sur le banc de la supérette. Le « tuyau » fabriqué par Liz n'aurait pas forcément eu le même impact s'il n'avait pas rappelé à un vétéran du service une affaire datant de son enfance : les attaques de George Metasky, que la presse avait baptisé « le fou à la bombe ». Durant son propre « règne de la terreur », entre 1940 et 1956, Metasky avait posé trente-trois bombes artisanales, et chez lui aussi, la rancune avait servi d'élément déclencheur. Contre la société Consolidated Edison, en l'occurrence.

Un membre de la rédaction du JT avait fait lui aussi le rapprochement, et la photo de Metasky est apparue en arrière-fond. Maman ne lui a même pas accordé un regard. Moi, je lui ai trouvé une ressemblance inquiétante avec Therriault dans sa tenue d'aide-soignant. S'emparant de son téléphone, ma mère est partie dans sa chambre en marmonnant, à la recherche de son répertoire ; je suppose qu'elle avait effacé Liz de la liste de contacts de son portable, après leur grosse dispute.

Profitant d'une pub pour un médicament, je me suis faufilé jusqu'à sa porte pour écouter. J'ai bien fait de me dépêcher, l'appel a été plus que bref.

– Liz, c'est Tia. Tu vas m'écouter sans m'interrompre. Pour des raisons évidentes, je ne parlerai à personne de cette histoire. Mais si jamais tu recommences à importuner mon fils, si seulement tu t'approches de lui, je réduis ta vie en cendres, c'est clair ? Tu sais que j'en ai les moyens. Il me suffit d'un petit geste. *Alors ne t'approche plus de Jamie.*

J'ai filé me rasseoir sur le canapé, feignant d'être captivé par la pub. Une tactique aussi utile qu'une bicyclette pour un poisson.

– Tu as entendu ?

Son regard étincelant me décourageait de mentir, alors j'ai fait oui de la tête.

– Bien. Si tu la revois, fiche le camp en vitesse. Tu rentres à la maison et tu me préviens tout de suite. On s'est bien compris ?

J'ai de nouveau acquiescé.

– Parfait. Je vais commander de quoi manger. Tu préfères des pizzas ou du chinois ?

29

Ce mercredi soir aux environs de vingt heures, la police a localisé et désamorcé la dernière bombe de Thumper. Je regardais *Person of Interest* avec ma mère, lorsqu'un flash spécial a interrompu les programmes. Dans un premier temps, l'intervention des chiens renifleurs n'avait donné aucun résultat, si bien que l'équipe de déminage avait failli les renvoyer. Mais à un moment, un des chiens avait marqué une des travées de la réserve. Ils y étaient pourtant déjà passés plusieurs fois, et en plus il n'y avait pas assez d'espace sur les rayonnages pour camoufler des explosifs, mais le hasard a fait qu'un policier lève la tête à cet instant et repère une dalle légèrement déplacée au plafond. La bombe était fixée à une poutrelle par un morceau de corde extensible, semblable à celles qu'on utilise pour le saut à l'élastique.

Cette fois, Therriault s'était carrément surpassé. Seize bâtons de dynamite et une douzaine de détonateurs. Et il ne s'était plus contenté d'un simple réveille-matin : l'engin explosif était raccordé à un minuteur numérique, comme dans les films auxquels je ne cessais de penser. Un des flics a pris une photo de la bombe désamorcée, publiée le lendemain par le *New York Times*. L'explosion était prévue pour le vendredi à dix-sept heures, moment de grande affluence au supermarché. Le lendemain sur NY1 (on était revenus sur la chaîne préférée de maman), un membre de la Brigade des explosifs a révélé qu'elle aurait provoqué l'effondrement total de la toiture, et il s'est borné à secouer la tête quand on lui a demandé de chiffrer les pertes humaines en pareil cas.

— Tu as fait ce qu'il fallait, Jamie, m'a dit ma mère pendant le dîner du jeudi soir. Une bonne action. Et Liz aussi, quelles qu'aient pu être ses motivations. Ça me rappelle une remarque de Marty.

(Mr Burkett, notre professeur émérite.)

— Quelle remarque ?

— Il arrive que Dieu utilise un outil abîmé. Une citation d'un des vieux auteurs anglais qu'il mettait au programme.

— Il me demande toujours ce que j'étudie en classe, et il a l'air de penser que mon éducation laisse à désirer.

Maman a éclaté de rire.

— Lui, c'est un véritable puits de science, et il garde l'esprit vif. Tu te souviens du repas de Noël ?

— Bien sûr ! Dinde sauce cranberry, mon plat préféré. Plus le chocolat chaud.

— Oui, on a passé une bonne soirée. Il me manquera quand il ne sera plus là. Finis ton assiette, il y a du crumble aux pommes pour le dessert. C'est Barbara qui l'a préparé. Jamie ?

J'ai levé les yeux pour la regarder.

– Ça t'ennuie si on ne reparle plus de tout ça ? J'aimerais bien qu'on tourne la page, tu vois ?

J'ai deviné qu'au-delà de Liz et de Therriault, elle faisait allusion à ces morts que je voyais. Mon prof d'informatique aurait appelé ça une *requête globale*, et je n'y trouvais rien à redire. J'étais même à fond pour cette solution.

Et sur le moment, alors qu'on mangeait nos pizzas dans notre coin cuisine bien éclairé, j'ai sincèrement cru qu'on pouvait tourner la page. Grossière erreur. Je n'ai pas recroisé Liz Dutton pendant les deux ans qui ont suivi, et j'ai très rarement pensé à elle.

En revanche, j'ai revu Therriault le soir même.

Ceci est une histoire d'épouvante, je vous avais prévenus.

30

Je somnolais déjà quand deux chats se sont mis à miauler comme des forcenés dans la rue. Le bruit m'a réveillé en sursaut. Comme on habitait au cinquième étage, je ne les aurais peut-être pas entendus – pas plus que le fracas de poubelle renversée qui a suivi – si je n'avais pas laissé ma fenêtre entrouverte pour rafraîchir la pièce. Je me suis levé pour la refermer, et ma main s'est figée sur le châssis. De l'autre côté de la rue, Therriault se tenait dans le halo d'un réverbère, et j'ai compris tout de suite que les miaulements n'étaient pas dus à une bagarre : les chats avaient eu peur, tout simplement. Le bébé devant l'épicerie avait vu Therriault, et eux aussi le voyaient. Il avait fait exprès de les effrayer, pour que je m'approche de la fenêtre. Il savait que je viendrais, comme il savait que Liz m'appelait « champion ».

Sa figure à moitié ravagée a grimacé un sourire.

Et puis il m'a fait signe de venir.

La fenêtre refermée, j'ai envisagé d'aller rejoindre ma mère, mais j'avais passé l'âge de dormir avec elle, et elle m'aurait posé des questions. Je me suis donc contenté de baisser le store avant de me recoucher dans mon lit, les yeux grands ouverts dans l'obscurité. C'était la première fois qu'il m'arrivait une chose pareille. Jamais un mort ne m'avait suivi jusque chez moi comme un foutu chien errant.

Peu importe, ai-je raisonné. *D'ici trois ou quatre jours, il aura disparu, comme tous les autres. Une semaine grand maximum. Et puis, il ne peut pas me faire de mal.*

Est-ce que j'en étais bien certain, au fond ? Allongé dans le noir, j'ai pris conscience que je n'en savais rien. Certes, je *voyais* les morts, mais ça ne signifiait pas que je les *connaissais* pour autant.

J'ai fini par retourner à la fenêtre pour couler un regard par un côté du store, persuadé que Therriault serait toujours là. Peut-être même qu'il me ferait signe d'approcher, une fois de plus. *Viens par ici. Viens vers moi.* Champion.

Mais il n'y avait personne sous le réverbère.

Il était parti.

Je suis retourné dans mon lit, mais le sommeil a mis très longtemps à venir.

31

Je l'ai revu le vendredi suivant, à la sortie du collège. Les parents étaient venus en nombre pour attendre leurs enfants, comme tous les vendredis ; je suppose qu'ils passent les prendre pour partir directement en week-end. Ils n'ont pas vu Therriault, mais je suis pratiquement sûr qu'ils sentaient sa présence, parce qu'ils se tenaient bien à l'écart de l'endroit où il se trouvait. Et si quelqu'un était venu avec un bébé en poussette, je sais que le petit aurait fixé cet espace vide sur le trottoir en braillant de toutes ses forces.

Sans savoir que faire, je suis retourné dans le couloir de l'école, contemplant le tableau d'affichage devant les bureaux de l'administration. Tôt ou tard il faudrait bien que je lui parle, si je comptais apprendre ce qu'il me voulait et, finalement, je préférais m'en occuper tout de suite, tant qu'il y avait du monde à l'extérieur. Même si je ne pensais pas qu'il puisse me faire du mal, je n'avais aucune certitude.

Pris d'un besoin pressant, j'ai fait un crochet par les toilettes, mais une fois devant l'urinoir, je n'ai pas pu évacuer une seule goutte. Je suis donc reparti en tenant mon cartable par une sangle au lieu de le porter sur mon dos. Jamais un mort n'avait posé la main sur moi, j'ignorais même si c'était possible, mais si Therriault essayait de me toucher, je comptais bien le cogner avec ma pile de bouquins.

Mais Therriault avait disparu.

Une semaine s'est écoulée sans que je le revoie, puis une deuxième. J'en ai déduit qu'il avait dépassé sa date de péremption, et j'ai commencé à me détendre.

Cette année-là, je faisais partie de l'équipe de natation junior du YMCA, et notre dernier entraînement devait avoir lieu un samedi de la fin mai, avant la compétition du week-end suivant à Brooklyn. Maman m'a donné dix dollars pour que j'achète un en-cas après le sport en me recommandant comme toujours de bien fermer mon casier, de peur qu'on me vole mon argent ou ma montre – honnêtement, qui pouvait s'intéresser à ma vieille Timex ? Quand je lui ai demandé si elle assisterait à la compétition, elle a levé les yeux de son manuscrit.

– Mais oui, Jamie, c'est la quatrième fois que tu me poses la question. Je viendrai, c'est noté dans mon planning.

En réalité, ce n'était que la deuxième fois (ou la troisième), mais je n'ai pas protesté. Je l'ai embrassée avant de partir, et je suis allé appeler l'ascenseur. Les portes n'ont pas tardé à s'ouvrir.

Dans la cabine, Therriault me regardait avec son sourire de toujours. Un œil à peu près intact, l'autre qui saillait de l'orbite.

– Ta mère a un cancer, champion. À cause du tabac. Dans six mois elle sera morte.

Je suis resté pétrifié, la bouche entrouverte.

Les portes se sont refermées.

J'ai émis un drôle de son, entre la plainte et le piaulement, en m'appuyant contre la paroi pour ne pas chavirer.

Ils sont obligés de dire la vérité. Ma mère va mourir.

Ma confusion s'est légèrement dissipée, laissant la place à une pensée plus rassurante. Je m'y suis cramponné comme un naufragé à un morceau de bois flotté. *Peut-être qu'ils doivent dire la vérité uniquement si on les questionne. Il se peut que, le reste du temps, ils soient libres de raconter des craques.*

Après ça, je n'avais plus la moindre envie d'aller m'entraîner, mais si je zappais la séance, le coach risquait de contacter maman pour savoir ce qui se passait. Et là, ce serait elle qui me demanderait des comptes. Qu'est-ce que je lui répondrais, moi ? Que j'avais eu peur que Thumper m'attende au coin de la rue ? Ou dans le couloir de l'YMCA ? Ou pire encore – qu'il soit dans les douches, invisible pour les autres gamins venus se débarrasser du chlore après la natation.

Et je devrais aussi lui dire qu'elle avait un putain de cancer ?

Il ne me restait qu'à aller nager et, bien sûr, j'ai été nullissime pendant toute la séance. Quand le coach m'a fait des remarques, j'ai dû me pincer le bras pour ne pas me mettre à chialer. Me pincer méchamment.

Au retour, j'ai trouvé maman plongée dans son manuscrit. Si je ne l'avais pas vue fumer depuis le départ de Liz, je savais par contre qu'il lui arrivait de boire quelques verres quand elle sortait sans moi, avec les auteurs et les gens de l'édition. Je l'ai reniflée en lui faisant la bise, sans détecter autre chose qu'une légère odeur de parfum. Ou de crème pour la peau, puisqu'on était samedi. Un truc pour femme, en tout cas.

— Dis donc, Jamie, tu ne couverais pas un rhume ? Tu t'es bien séché après la séance, au moins ?

— Mais oui. Maman, tu as arrêté de fumer, hein ?

— Ah, c'est donc ça ! (Elle a écarté son manuscrit pour s'étirer.) Non, je ne fume plus du tout depuis que Liz est partie.

Depuis que tu l'as jetée, oui.

— Tu as vu le médecin, récemment ? Pour un bilan complet, genre ?

Ma mère a paru déconcertée.

— Qu'est-ce qui te préoccupe ? Je vois que tu fronces les sourcils.

— Euh... je n'ai pas d'autre parent que toi, tu sais. S'il t'arrive quoi que ce soit, ce n'est pas l'oncle Harry qui va me prendre en charge.

Maman a fait une petite grimace comique, puis elle m'a serré contre elle en riant.

— Je suis en pleine forme, lascar. Pour ton information, j'ai fait mon bilan annuel il y a deux mois. Et tout est absolument nickel.

Maman avait l'air en forme, je ne pouvais pas le nier. Que je sache, elle n'avait pas perdu de poids, et elle ne crachait pas non plus ses poumons. Même si le cancer pouvait attaquer autre chose que la gorge ou les poumons, je le savais bien.

— Bon, tant mieux. Je suis super-content.

— Alors nous sommes deux. Allez, va vite préparer du café à ta mère et laisse-la terminer ce manuscrit.

— Qu'est-ce qu'il vaut, celui-ci ?

— Figure-toi que c'est du bon.

— Mieux que la série de Mr Thomas ?

— Nettement meilleur, oui, mais avec moins de potentiel com-
mercial, hélas.

— Je pourrai avoir un café, moi aussi ?

Maman a accepté en soupirant.

— Juste une demi-tasse, alors. File, maintenant, j'ai du boulot.

32

Pendant le dernier contrôle de maths de l'année, j'ai encore vu Kenneth Therriault. J'ai regardé distraitement par la fenêtre, et il était là, sur le terrain de basket.

Il souriait, et il me faisait signe de venir.

Vite, j'ai reporté les yeux sur mon devoir, et lorsque j'ai regardé de nouveau, il s'était un peu rapproché. Il a tourné la tête pour me montrer le cratère sur le côté gauche de son crâne, d'un pourpre noirâtre, hérissé d'éclats d'os qui pointaient comme des crocs.

Je me suis penché sur ma feuille et quand j'ai relevé les yeux, il avait disparu. Pourtant, je savais bien qu'il reviendrait. Lui, il n'était pas comme les autres. Rien à voir.

Au moment où Mr Laghari a ramassé les copies, il me restait encore cinq problèmes à résoudre. Je n'ai obtenu qu'un D, accompagné du commentaire : *Résultat décevant. Tu dois faire mieux que ça, Jamie. Qu'est-ce que je dis à chaque cours ? Si on prend du retard en maths, on ne le rattrape jamais.* Voilà ce qu'il nous répétait.

Et c'est vrai pour toutes les matières, n'en déplaise à

Mr Laghari. La preuve, j'ai foiré mon évaluation d'histoire un peu plus tard dans la journée. Non pas que Therriault soit apparu devant le tableau, mais j'étais obsédé par l'idée que ça *pouvait* se produire.

Une pensée m'a traversé l'esprit : Therriault *voulait* que je me plante à l'école. Ça peut vous sembler ridicule, mais n'oubliez pas que même un paranoïaque a parfois de vrais ennemis. Bien sûr, je ne risquais pas de redoubler à cause de quelques devoirs ratés, surtout avec les grandes vacances qui approchaient. J'avais tout l'été devant moi, mais comment se passerait l'année suivante si Therriault traînait encore dans les parages ?

Et s'il devenait plus puissant avec le temps ? Je préférais ne pas l'envisager, mais le fait qu'il soit toujours là m'incitait à le croire. À le croire sérieusement, même.

Ce serait peut-être un soulagement de me confier à quelqu'un, et maman semblait la personne tout indiquée – elle, elle me croirait. Mais je ne voulais surtout pas lui faire peur, elle avait déjà eu son content de frayeurs quand l'agence menaçait de couler, et qu'elle redoutait de ne plus pouvoir subvenir aux besoins de la famille. Sachant comment je l'avais aidée à se sortir du pétrin, elle risquait de se sentir responsable de ce qui m'arrivait à présent. Ce n'était pas du tout mon opinion, mais elle verrait peut-être les choses d'un autre œil. Et puis, j'avais bien compris qu'elle tenait à tirer un trait sur cette histoire de morts. De toute manière, ça ne changeait pas grand-chose, elle n'aurait aucun moyen de m'aider même si je la mettais au courant. Elle pourrait toujours reprocher à Liz de m'avoir mis en contact avec Therriault, mais ça n'irait pas plus loin.

À un moment, j'ai été tenté d'en parler à Ms Peterson, la psychologue du collège, mais elle allait en déduire que j'avais des hallucinations, ou que je souffrais d'une dépression nerveuse. Et elle s'empresserait d'en informer ma mère. En désespoir de cause, j'ai même envisagé de me tourner vers Liz. Et après ? Elle allait dégainer son arme et ouvrir le feu sur Therriault ? On serait bien avancés, vu qu'il était déjà mort. Et de toute façon, j'avais coupé les ponts avec elle – du moins je le croyais. Désormais, j'étais vraiment tout seul, et je n'en menais pas large.

Comme prévu, ma mère a assisté à la compétition de natation, et j'ai été archiminable à chaque course. Sur le chemin du retour, elle m'a serré dans ses bras en disant qu'on a tous nos mauvais jours, que je me débrouillerais mieux une autre fois. Là, j'ai été à deux doigts de lui déballer toute l'affaire et d'avouer enfin à quel point j'avais peur – une peur qui me semblait de plus en plus fondée : Therriault cherchait à bousiller ma vie parce que j'avais fait capoter son dernier projet d'attentat, le plus meurtrier de tous. Si on n'avait pas été dans un taxi, je crois bien que j'aurais craqué. Je me suis contenté de poser ma tête sur l'épaule de maman comme autrefois, quand je pensais que ma dinde de Thanksgiving était la plus belle œuvre d'art depuis *La Joconde*. Vous savez quoi ? Le plus moche dans l'histoire, c'est que plus on grandit, plus on la boucle.

33

En rentrant chez moi le jour des grandes vacances, j'ai revu Therriault dans l'ascenseur de l'immeuble. Il souriait et me faisait signe d'approcher. Sans doute qu'il s'attendait à ce que je recule, comme la fois précédente, mais il faisait erreur. J'avais la trouille, évidemment, mais pas autant que la première fois. En fait, je commençais à m'habituer à lui, comme on peut s'accoutumer à une grosseur ou à une tache de naissance sur le visage, aussi vilaine soit-elle. Therriault refusait de me foutre la paix, et ce jour-là, c'est la rage qui a pris le dessus.

Au lieu de m'enfuir, j'ai bondi en avant pour bloquer les portes avec mon bras. Jamais je ne serais monté avec lui dans la cabine – quelle horreur –, mais il fallait qu'il réponde à quelques questions avant que les portes se referment.

– Est-ce que ma mère a vraiment un cancer ?

Cette fois aussi, sa figure s'est crispée comme s'il avait mal, et j'espérais qu'il souffrait pour de bon.

– *Est-ce que ma mère a un cancer ?*

– Je ne sais pas.

Le regard qu'il m'a lancé alors… vous connaissez l'expression « regard assassin » ?

Il s'était reculé tout au fond de la cabine, mains plaquées sur la poitrine, comme si c'était moi qui l'effrayais. Il a tourné la tête pour exhiber le trou énorme qu'avait laissé la balle, mais s'il se figurait que j'allais m'écarter et lâcher les portes, il en a été pour ses frais. Sa blessure était atroce, mais j'avais fini par m'y habituer.

– *Pourquoi est-ce que vous m'avez dit ça ?*

– Parce que je te hais, a répondu Therriault en me montrant les dents.

– Comment ça se fait que vous soyez toujours là ? Normalement, c'est impossible.

– Je ne sais pas.

– Allez-vous-en.

Il n'a pas répondu.

– *Allez-vous-en !*

– Non, je ne m'en irai pas. Ni maintenant, ni jamais.

J'ai paniqué un max en entendant ça, et mon bras est retombé comme s'il avait pesé une tonne.

– À la prochaine, *champion*.

Les portes se sont refermées, mais la cabine est restée sur place, puisqu'il n'y avait personne à l'intérieur pour la commander. Quand j'ai appuyé sur le bouton d'appel, les portes se sont rouvertes sur un ascenseur vide, mais j'ai préféré prendre les escaliers. On ne sait jamais.

Je vais m'habituer à lui. Je me suis déjà habitué au trou dans sa tête, et je m'habituerai aussi à lui. De toute manière, il ne peut pas me faire de mal.

Pourtant, il m'en avait déjà fait, d'une certaine façon. Mon D au contrôle de maths et ma compétition de natation ratée n'étaient que deux exemples parmi d'autres. Je dormais mal (maman m'avait déjà fait des remarques sur mes cernes), et le moindre bruit, même un livre qui tombait par terre en salle d'étude, suffisait à me faire sursauter. Si j'ouvrais ma penderie pour prendre une chemise, je craignais toujours de le trouver dedans. Mon croque-mitaine personnel. Et s'il se cachait sous mon lit, attendant que je dorme pour saisir le bras ou la jambe qui dépassait des couvertures ? Je doutais beaucoup qu'il puisse attraper quoi que ce soit, mais je n'avais aucune garantie, surtout s'il gagnait en force.

Et si je le découvrais près de moi en me réveillant ? Dans mon propre lit. La main sur mes bijoux de famille.

Une fois qu'on a déroulé ce genre de pensées, impossible de rembobiner. Et ça ne s'arrêtait pas là : comment savoir s'il ne continuerait pas à me hanter – car il s'agissait bien de cela – lorsque j'aurais atteint mes vingt ans ? Ou mes quarante ? Et s'il était toujours là quand je rendrais mon dernier souffle à quatre-vingt-neuf ans, attendant de m'accueillir dans l'autre monde où il me hanterait après ma mort ?

Tu fais une bonne action, et voilà ce que tu récoltes, ai-je pensé une nuit en regardant par la fenêtre Thumper immobile sous le réverbère, sur le trottoir d'en face. *On ne m'y reprendra jamais plus.*

34

À la fin du mois de juin, maman et moi avons rendu notre visite mensuelle à oncle Harry. Il ne parlait quasiment plus à cette époque-là, et n'allait presque jamais dans la salle commune de l'établissement. Ses cheveux étaient blancs comme neige, alors qu'il n'avait même pas cinquante ans.

– Harry, a dit maman, Jamie t'a apporté des *rugelach* de chez Zabar. Tu veux y goûter ?

Depuis le pas de la porte – je n'avais pas tellement envie d'entrer –, je lui ai montré le sachet en souriant, telle une présentatrice du *Juste Prix*.

Oncle Harry a marmonné un *ouh*.

– Tu as dit oui ? a demandé maman.

Il a agité les mains en émettant une espèce de *nng*, et il ne fallait pas être devin pour comprendre : *Je veux pas de ces putains de gâteaux.*

– Ça te plairait de sortir faire un tour ? Il fait beau, aujourd'hui.

« Sortir », je n'étais pas certain que mon oncle connaisse encore le sens de ce mot.

– Je vais t'aider, a proposé maman en le prenant par le bras.

– Non !

Un « non » clair et net, cette fois, pas un vague borborygme. Ses yeux exorbités commençaient à larmoyer.

– Qui c'est ?

La question aussi était claire et nette.

– C'est Jamie. Enfin, Harry, tu sais qui est Jamie.

Mon oncle ne me reconnaissait plus, à ce moment-là, et surtout, ce n'était pas moi qui retenais son attention. Je n'avais pas besoin de tourner la tête pour savoir ce qu'il contemplait par-dessus mon épaule, mais j'ai regardé quand même.

– Sa maladie, elle est héréditaire, a déclaré Therriault. Elle se transmet chez les hommes de la famille. Tu deviendras comme lui, champion. Avant même d'avoir réalisé ce qui t'arrive.

– Jamie ? Tout va bien ? s'est inquiétée maman.

J'ai répondu sans détacher les yeux de *lui*.

– Oui, oui, ça va. Pas de souci.

En réalité, je n'étais pas du tout dans mon assiette, et j'ai compris à son sourire que Therriault le savait.

– Allez-vous-en ! a crié oncle Harry. Allez-vous-en !

Alors nous sommes repartis.

Tous les trois.

35

Je n'en pouvais plus de garder ça pour moi, et j'étais sur le point de tout révéler à ma mère, quitte à la peiner et à lui faire peur. C'est alors que le destin m'a donné un petit coup de pouce.

On était en juillet 2013, trois semaines environ après notre visite à l'oncle Harry.

Un matin de bonne heure, ma mère a reçu un coup de fil pendant qu'elle s'habillait pour se rendre à l'agence. À moitié réveillé, j'étais en train d'enfourner mes Cheerios à la table de la cuisine. Maman est sortie de sa chambre en agrafant sa jupe.

– Hier soir, Marty Buckett a eu un petit accident. Il a trébuché sur je ne sais quoi – en allant aux toilettes, je suppose – et il s'est luxé la hanche. Il prétend que ce n'est rien, et c'est peut-être la vérité. Mais il se peut aussi qu'il joue les machos.

– Je vois.

Jamais je n'aurais contredit maman quand elle se démenait comme ça, tâchant de faire trente-six choses à la fois. N'empêche, je trouvais que Mr Burkett avait passé l'âge de jouer les machos, même si c'était plutôt drôle de l'imaginer en héros de

Terminator : la Retraite, canne brandie et disant « Je reviendrai ». J'ai incliné mon bol pour laper le reste de mon lait.

— Jamie, combien de fois je t'ai demandé de ne pas faire ça ?

Si maman me l'avait dit, je ne m'en souvenais pas ; en général, les règles parentales me passaient au-dessus de la tête, à commencer par les bonnes manières.

— Comment tu veux que je finisse mon lait, sinon ?

— Laisse tomber, a soupiré maman. J'avais préparé un plat pour ce soir, mais on peut se contenter de burgers. À condition, bien sûr, que tu puisses interrompre ton programme chargé à base de séries et de jeux sur portable pour apporter un repas à Marty. Moi, je ne peux pas y aller, je suis débordée. C'est trop te demander de le faire à ma place ? Et de me passer un coup de fil pour me donner de ses nouvelles ?

Je n'ai pas répondu immédiatement, j'avais l'impression d'avoir pris un coup de marteau sur le crâne – certaines idées produisent ce genre d'effet. En plus, je me sentais totalement stupide. Pourquoi n'avais-je pas pensé plus tôt à Mr Burkett ?

— Allô, Jamie ? Ici la Terre.

— Pas de problème, j'irai avec plaisir.

— Sérieux ?

— Mais oui.

— Tu dois être malade, alors ! Tu n'aurais pas un peu de température ?

— Ha ha ! Tu sais ce que j'aime, chez toi ? Ton humour.

— Tiens, de l'argent pour le taxi, a dit maman en attrapant son sac à main.

– Pas la peine, j'y vais à pied. Tu n'as qu'à mettre ton plat dans un cabas.

Ma mère a eu l'air surprise.

– Ah oui ? Ça ne t'ennuie pas de marcher jusqu'à Park Avenue ?

– Pas du tout, ça me fera de l'exercice.

Simple prétexte : j'avais surtout besoin d'un délai pour me convaincre que mon plan était bon et pour préparer soigneusement mon récit.

36

À partir de maintenant, j'appellerai Mr Burkett « professeur Burkett », parce que ce jour-là, j'ai beaucoup appris de lui. Mais avant de m'enseigner quoi que ce soit, il m'a *écouté*. Il fallait que je parle à quelqu'un, je vous l'ai dit, mais je n'avais pas prévu d'en éprouver un tel soulagement.

Mr Burkett est venu m'ouvrir la porte en s'aidant de deux cannes, alors qu'il n'en avait qu'une d'habitude. Dès qu'il m'a vu, son visage s'est éclairé, il semblait content d'avoir de la visite. Les gamins sont souvent égocentriques (vous le savez sans doute si vous avez été ados…), et il m'a fallu du temps pour comprendre qu'il avait dû se sentir bien seul après le décès de Mona. Certes, il avait une fille qui vivait sur la côte Ouest, mais je ne l'avais jamais croisée chez lui. Ce qui conforte mon opinion sur l'égocentrisme des plus jeunes.

– Jamie ! Tu m'as apporté des cadeaux !

– Oh, c'est juste un plat cuisiné. Une tourte à la suédoise.

– Plutôt à l'anglaise, non ? Je parie que c'est un délice. Tu aurais la gentillesse de la ranger au frigidaire ? Moi, avec ça…

Il a levé ses deux cannes et, pendant un instant, j'ai eu peur qu'il s'étale devant moi. Heureusement, il a réussi à se rétablir.

— Bien sûr, je m'en occupe.

Je trouvais ça marrant, qu'il dise « frigidaire » pour « frigo », et qu'il appelle les voitures des « autos ». Il était d'une autre époque, Mr Burkett. Il disait même « bigophone » à la place de « téléphone ». Et ça m'a tellement plu que j'ai adopté le mot. Je l'emploie encore.

J'ai casé facilement le plat de maman, le frigo étant quasiment vide. Mr Burkett, qui m'avait suivi en clopinant, m'a demandé comment j'allais.

— Pas terrible, ai-je avoué en refermant la porte.

Il a haussé ses sourcils broussailleux.

— Comment ça ? Tu as un problème ?

— C'est une très longue histoire, et vous allez sûrement me prendre pour un dingue, mais il faut absolument que j'en parle à quelqu'un. Et apparemment, c'est vous que j'ai choisi.

— Ça n'aurait pas un rapport avec les bagues de Mona ?

J'en suis resté bouche bée. Le professeur Burkett me regardait en souriant.

— Je n'ai jamais cru pour de bon que ta mère les avait trouvées par hasard dans le placard. Un coup de chance pareil, ce n'était pas vraisemblable. J'ai même envisagé qu'elle ait pu les y placer elle-même, mais toutes les actions humaines sont gouvernées par un mobile et par une opportunité. Et ta mère n'avait ni l'un ni l'autre. Mais ce jour-là, j'étais bien trop chamboulé pour y réfléchir davantage.

— Vous veniez de perdre votre femme.

– En effet. (Il a levé sa canne pour toucher sa poitrine à l'emplacement du cœur. J'ai eu de la peine pour lui.) Alors, Jamie, que s'est-il passé ? C'est de l'histoire ancienne, mais j'ai lu des romans policiers toute ma vie, et je serais heureux de percer le mystère.

– C'est votre femme qui me l'a dit.

Il m'a dévisagé d'un œil éberlué.

– Je peux voir les morts.

Son silence a duré si longtemps que j'ai commencé à m'inquiéter.

– Je crois que j'ai besoin d'un remontant, m'a-t-il dit au bout d'une minute. Et toi aussi, certainement. Ensuite, tu pourras me raconter tout ce que tu as en tête. Je suis impatient de t'entendre.

37

Mr Burkett était vraiment d'une autre époque. Il n'avait même pas de thé en sachets, seulement des feuilles en vrac qu'il rangeait dans une boîte en fer. Pendant que l'eau chauffait, il m'a indiqué où se trouvait la « boule à thé » et quelle quantité de feuilles je devais y mettre. La préparation du thé ne manque pas de charme. J'aurai toujours une préférence pour le café, mais il y a des circonstances où le thé s'impose de lui-même. C'est une espèce de rituel, si on veut.

Le professeur Burkett m'a expliqué qu'il devait infuser cinq minutes dans l'eau bouillie – ni plus ni moins. Après avoir réglé le minuteur, il m'a montré où étaient les tasses et a regagné le salon. J'ai surpris un soupir de soulagement quand il a réintégré son fauteuil préféré, suivi d'un bruit de pet. Pas un grand coup de trompette, plutôt une note de hautbois.

J'ai rempli deux tasses que j'ai posées sur un plateau, avec le sucrier et le carton de crème du frigo – ça tombait bien qu'on n'y ait pas touché, elle était périmée depuis un bon mois. Le professeur Burkett prenait son thé nature, et il l'a goûté en faisant claquer ses lèvres.

– Excellent, Jamie. Essai transformé.

– Merci, c'est gentil.

Moi, j'ai préféré sucrer généreusement le mien. La troisième cuillère bien pleine aurait fait hurler maman, mais le professeur n'a pas bronché.

– Bien. Raconte-moi ton histoire, maintenant. J'ai tout mon temps.

– Est-ce que vous me croyez ? Pour les bagues ?

– Je crois que tu y crois, disons. Et le fait est qu'on les a retrouvées, ces bagues. Elles se trouvent actuellement dans mon coffre, à la banque. Une question, Jamie : si j'interrogeais ta mère, elle pourrait confirmer tes propos ?

– Oui, mais ne lui dites rien, s'il vous plaît. Si j'ai décidé de me confier à vous, c'est pour éviter de lui en parler. Elle serait bouleversée.

Il a bu son thé à petites gorgées, sa main tremblant légèrement sur l'anse, puis il a reposé sa tasse pour me regarder attentivement. J'ai même eu l'impression qu'il me transperçait du regard – je revois encore ses yeux d'un bleu vif qui me scrutaient sous la broussaille de ses épais sourcils.

– Dans ce cas, raconte-moi tout. Et fais en sorte de me convaincre.

Ayant fignolé mon récit pendant le trajet, j'ai réussi à ne pas faire trop de détours. J'ai commencé avec Robert Harrison – le cycliste de Central Park – et j'ai enchaîné sur Mrs Burkett et tout le reste. Autant dire que ça a duré un bon moment. Quand j'ai eu terminé, mon thé était à peine tiède (presque froid, en fait), mais je l'ai bu quand même pour soulager ma gorge.

Le professeur Burkett m'a demandé après une minute de réflexion :

— Jamie, tu veux bien aller me chercher mon iPad ? Il est dans ma chambre, sur la table de chevet.

L'odeur de la pièce m'a un peu rappelé le centre de soins d'oncle Harry, avec en plus une pointe âcre que j'ai attribuée à sa pommade pour la hanche. J'ai emporté sa tablette au salon. Le professeur Burkett n'utilisait pas d'iPhone – il n'avait qu'un poste fixe accroché au mur de la cuisine, comme dans les vieux films –, mais il adorait son iPad. En fond d'écran, s'est affichée une photo d'un jeune couple en tenue de mariés, probablement Mrs Burkett et lui-même. Il s'est mis tout de suite à pianoter.

— Vous faites des recherches sur Therriault ?

Il a secoué la tête sans lever les yeux.

— L'homme de Central Park. Tu as bien dit que tu étais en maternelle, le jour où tu l'as vu ?

— Oui.

— Ce qui nous renvoie en 2003, ou 2004… Ah, j'y suis.

Il s'est penché sur son écran pour lire l'article, repoussant de temps à autre sa masse de cheveux.

— Et tu as vu en même temps son corps sans vie allongé au sol, et lui-même debout à côté ? Ta mère pourrait en témoigner ?

— Elle a su que je ne mentais pas, parce que j'ai pu lui décrire les vêtements qu'il portait en haut. Alors que cette partie de son corps avait été recouverte. Mais je ne veux surtout pas que…

— J'ai compris, pas de problème. Passons au livre de Regis Thomas – il n'était pas encore rédigé…

– Non. À part les deux premiers chapitres, il me semble.

– Mais ta mère a réussi à rassembler suffisamment d'informations pour écrire le reste en se servant de toi comme médium.

Je ne m'étais jamais défini comme un médium, mais le terme m'a paru assez juste.

– Oui, sans doute. Comme dans *The Conjuring*. C'est un film, ai-je précisé devant sa mine perplexe. Mr Burkett... *professeur*... vous pensez que je suis cinglé ?

J'étais tellement soulagé d'avoir évacué tout ça que son opinion m'indifférait presque.

– Non, Jamie. (Mon soulagement a dû le gêner, parce qu'il a levé un doigt pour me mettre en garde.) Attention, ça ne signifie pas que je crois à ton histoire, étant donné que ta mère n'est pas là pour appuyer ta version des faits. Ce que je ne lui demanderai pas, nous en sommes convenus. Quoi qu'il en soit, je peux te dire une chose : je ne refuse pas totalement de te croire. À cause des bagues, essentiellement, et aussi parce que le dernier livre de Thomas existe bel et bien. Encore qu'il ne fasse pas partie de mes lectures. (Il a fait une petite grimace.) Si je comprends bien, l'amie, ou plutôt l'ex-amie, de ta mère, serait susceptible de confirmer la dernière partie de ton histoire, qui est aussi la plus mouvementée.

– Oui, mais...

Il a levé la main pour m'interrompre, un geste qu'il avait dû répéter un millier de fois face à des étudiants trop bavards.

– À elle non plus, tu ne souhaites pas que je parle, et je le conçois tout à fait. Je ne l'ai rencontrée qu'une fois, et elle ne m'a pas plu du tout. Est-il exact qu'elle a introduit de la drogue à votre domicile ?

– Je ne l'ai pas vue de mes propres yeux, mais si maman le dit, alors c'est la vérité.

Il a écarté sa tablette en caressant le gros pommeau arrondi de sa canne.

– Tia n'a pas perdu grand-chose, dans ces conditions. Et ce Therriault qui est censé te hanter ? Il est ici en ce moment ?

– Non.

J'ai quand même jeté un regard à la ronde, histoire d'en être bien sûr.

– Et tu cherches à te débarrasser de lui, naturellement.

– Oui, sauf que je ne sais pas comment m'y prendre.

Il a bu son thé d'un air songeur, puis ses yeux bleus se sont posés sur moi. Le professeur était un vieil homme, mais son regard restait jeune.

– Voilà un problème passionnant, en particulier pour un vieux monsieur dans mon genre, qui a côtoyé toutes sortes de créatures surnaturelles au cours de sa vie de lecteur. Les romans gothiques en regorgent, Frankenstein et Dracula n'étant que les habitués les plus célèbres des salles de cinéma. On en trouve beaucoup d'autres dans la littérature européenne et dans les contes traditionnels. Partons provisoirement du principe que ce Therriault n'est pas seulement le fruit de ton imagination, et admettons qu'il a une existence bien réelle.

Je me suis dispensé de souligner que c'était beaucoup plus qu'une hypothèse – le professeur Burkett connaissait clairement mon opinion.

– Bien. Jusqu'ici, tu as rencontré un certain nombre de défunts – mon épouse, notamment –, et tous disparaissent au bout de quelques jours. Ils s'en vont je ne sais où… Tous, excepté Therriault. Lui, il est toujours là, et tu as l'impression qu'il pourrait devenir plus puissant.

– J'en suis persuadé, en fait.

– Alors, il se peut bien qu'il ne s'agisse plus de Therriault à proprement parler. Ce qui restait de lui a peut-être été infesté par un démon. « Infesté » est le terme exact, de préférence à « possédé ». (Mon expression a dû l'alarmer, car il s'est dépêché de rectifier :) C'est une simple conjecture, Jamie. Je vais être franc avec toi : à mon avis, il est probable que tu souffres d'une sorte de fugue dissociative, qui a provoqué des hallucinations.

– Autrement dit, je débloque.

Je ne regrettais pas de m'être confié à lui, mais sa conclusion me cassait le moral, même si elle ne me surprenait qu'à moitié.

Le professeur Burkett a balayé mes paroles d'un geste.

– Non, tu as mal interprété ma remarque. Tu n'as pas perdu contact avec la réalité, que je sache. Et je dois admettre que ton histoire ne manque pas d'éléments difficilement explicables en termes purement rationnels. Je ne mets pas en doute ta visite à Mr Thomas avec Tia, juste après le décès. Ni le fait que l'inspecteur Dutton t'ait conduit sur le lieu de travail de Therriault et devant son immeuble. Et si elle a décidé de t'y emmener – là, je me mets dans la peau d'Ellery Quinn, un de mes maîtres dans l'art de la déduction –, c'est qu'elle croyait forcément à tes capacités de médium. Ce qui nous ramène à Mr Thomas :

l'inspecteur Dutton a dû observer quelque chose là-bas qui l'a convaincue de leur existence.

— Je ne vous suis plus, désolé.

— Peu importe. (Le professeur s'est incliné vers moi.) En résumé, j'ai beau privilégier le rationnel, le connu et l'empirique – je n'ai jamais vu un fantôme de ma vie, ni eu la moindre intuition de l'avenir –, il y a certains points de ton histoire que je ne peux pas rejeter sans autre forme de procès. Supposons donc que Therriault, ou la chose malfaisante qui a envahi ce qui subsistait de lui, existe réellement. Reste maintenant à savoir si tu peux t'en débarrasser.

J'ai repensé alors à ce recueil de contes qu'il m'avait offert pour un Noël, de véritables histoires d'épouvante où les dénouements heureux étaient bien rares. Les demi-sœurs de Cendrillon se tranchaient les orteils, la princesse balançait la grenouille contre un mur au lieu de lui donner un baiser, et le Petit Chaperon rouge *encourageait* le grand méchant loup à dévorer la mèregrand, afin de pouvoir hériter de ses biens.

— Me débarrasser de lui ? Parmi tous ces livres que vous avez lus, il y en a bien un qui propose une solution, non ? Ou alors… (Une nouvelle idée venait de me traverser l'esprit.) Un exorcisme ! Qu'en pensez-vous ?

— Ce serait une impasse, selon moi. Je pense qu'un prêtre te dirigerait vers un pédopsychiatre, pas vers un exorciste. Si vraiment ce Therriault existe, Jamie, je crains que tu ne sois coincé avec lui.

Je l'ai regardé d'un air consterné.

— Mais ce n'est peut-être pas si grave.

– Comment ça, pas grave ? Bien sûr que si, voyons !

Le professeur Burkett a bu un peu de thé avant de me répondre :

– As-tu déjà entendu parler du rituel de Chüd ?

38

Aujourd'hui j'ai vingt-deux ans, presque vingt-trois, et je vis dans le monde de l'après. J'ai le droit de vote et le permis de conduire, et la loi m'autorise à acheter de l'alcool et des cigarettes (d'ailleurs, je compte décrocher bientôt). Mais je me rends bien compte que je suis encore très jeune, et je parie qu'un jour, en repensant à celui que j'étais, je serai stupéfait par tant de naïveté et d'inexpérience. Stupéfait mais pas dégoûté, j'ose espérer. Cela dit, à vingt-deux ans je suis à des années-lumière de mes treize ans. Je sais plus de choses, mais je suis moins crédule. À l'âge que j'ai, jamais la magie du professeur Burkett n'opérerait de la même manière. Ça n'enlève rien à ce que je lui dois, entendons-nous bien. Kenneth Therriault – j'ignore ce qu'il était réellement, et je l'appellerai donc ainsi – essayait de détruire ma santé mentale, et c'est la magie du professeur qui l'a sauvée. Peut-être même qu'elle m'a sauvé la vie.

J'ai découvert plus tard, en faisant des recherches pour un devoir d'anthropologie à la fac (à l'université de New York, bien sûr), qu'une bonne moitié de ce qu'il m'avait raconté ce jour-là était vraie. L'autre moitié, c'était du pipeau – et je dois rendre hommage à son inventivité. Mesurez un peu l'ironie de la situation : mon oncle Harry était devenu totalement gâteux avant la cinquantaine, alors que Martin Burkett, qui avait dépassé les quatre-vingts ans, débordait de créativité. Tout ça pour aider un gamin perturbé qui débarquait chez lui à l'improviste, avec un plat cuisiné et une histoire extravagante.

D'après le professeur Burkett, le rituel de Chüd était pratiqué par une secte bouddhiste au Népal et au Tibet. (Vrai.)

Ses membres y avaient recours pour atteindre le vide absolu, et la sérénité et l'éveil spirituel qui en découlent. (Vrai.)

Il avait aussi la réputation de servir à combattre les démons, ceux qui peuplaient l'esprit et les entités surnaturelles qui l'assaillaient de l'extérieur. (Zone floue.)

– Pour toi, c'est l'idéal, Jamie. Ça englobe toutes les éventualités.

– D'après vous, ça peut marcher même si Therriault n'est pas là pour de bon, et que je suis juste cinglé ?

Le regard qu'il m'a lancé mêlait impatience et désapprobation, une expression qu'il avait dû peaufiner pendant sa carrière d'enseignant.

– Tu veux bien te taire et essayer d'écouter ?

– D'accord, excusez-moi.

Je buvais ma deuxième tasse de thé, et j'étais tendu comme un ressort.

Une fois les bases posées, le professeur Burkett est passé dans le domaine de l'imaginaire – j'avoue que la frontière était mince. À l'entendre, le rituel était d'un grand secours lorsqu'un de ces bouddhistes des montagnes rencontrait le yéti, connu également sous le nom d'abominable homme des neiges.

— Et tout ça est vrai ?

— Je ne peux pas l'affirmer sans réserve, c'est la même chose que pour ce Mr Therriault dont tu me parles. En tout cas, les Tibétains le croient, comme toi, tu crois à Therriault.

Le professeur m'a expliqué que celui qui avait eu la malchance de croiser un yéti en était hanté toute sa vie, à moins de parvenir à l'attirer dans le rituel de Chüd, et de le vaincre.

Vous qui lisez ces lignes, vous avez bien compris que si le pipeau devenait une discipline olympique, le professeur Burkett gagnerait la médaille d'or haut la main. Mais je n'avais que treize ans à l'époque, et j'étais en mauvaise posture. Ce qui explique que j'aie tout gobé sans sourciller. Si une partie de moi-même s'est doutée de ce qu'il avait en tête, je l'ai réduite au silence – honnêtement, je ne m'en souviens pas bien. N'oubliez surtout pas que j'avais le couteau sous la gorge, à ce moment-là. Je ne pouvais rien imaginer de plus atroce qu'être poursuivi pour le restant de mes jours par Kenneth Therriault alias Thumper. *Hanté*, pour reprendre le mot du professeur.

— Dites-moi comment ça marche, alors.

— Ah, ça devrait te plaire. C'est digne de ces contes que je t'ai offerts, dans la version non expurgée. Si l'on se fie à la tradition, le démon et toi vous liez l'un à l'autre en vous mordant mutuellement la langue.

Il a dit cela avec une certaine satisfaction. *Et ça devrait me plaire ? N'importe quoi !*

— Une fois que cette union a eu lieu, le démon et toi vous

engagez dans une lutte entre vos deux volontés. Je présume qu'il s'agit de télépathie, puisqu'il serait assez délicat de se parler en… se mordant la langue. Le premier qui abandonne cède tout son pouvoir au vainqueur.

J'étais abasourdi. On m'avait appris à respecter les règles de politesse, surtout en présence des clients et des relations de ma mère, mais je me sentais bien trop écœuré pour me soucier des convenances.

— Vous vous figurez que je vais rouler un patin à ce type ? Vous êtes malade, ou quoi ? Je vous rappelle qu'il est mort, au cas où ça vous aurait échappé.

— Non, Jamie, je l'ai bien compris.

— En plus, je ne vois pas trop comment en arriver là. Genre, salut Ken chéri, tu veux bien me donner ta langue ?

— C'est bon, tu as terminé ?

Le professeur me parlait gentiment, et j'ai encore eu le sentiment d'être l'attardé de la classe.

— Je pense que la morsure de la langue a une valeur symbolique. Tu peux comparer ça aux hosties et à la coupe de vin de messe qui symbolisent le dernier repas que Jésus a pris avec ses disciples.

Je n'étais pas pratiquant, et le parallèle ne m'a pas vraiment éclairé. Du coup, j'ai préféré me taire.

— Écoute-moi, Jamie. Fais bien attention à ce que je vais te dire.

Je l'ai écouté comme si ma vie en dépendait. Et dans le fond, il s'agissait bien de cela.

39

Alors que je m'apprêtais à partir (sans avoir oublié de dire merci, mes notions de politesse ayant refait surface), le professeur m'a demandé si sa femme m'avait parlé d'autre chose que de ses bagues.

Normalement, un gamin de treize ans ne se rappelle plus grand-chose de l'année de ses six ans – la moitié de sa vie s'est écoulée depuis – mais cette journée-là, elle ne risquait pas de s'être effacée de ma mémoire. J'aurais même pu lui raconter comment Mrs Burkett avait débiné ma dinde de Thanksgiving, si ça l'avait intéressé. Mais lui, bien sûr, il voulait savoir ce qu'elle avait dit *sur lui*, pas ce qu'elle m'avait dit *à moi*.

– Vous serriez maman dans vos bras, et votre femme a dit que vous alliez lui brûler les cheveux avec votre cigarette. Et ça n'a pas manqué. Vous avez arrêté de fumer, non ?

– Je m'accorde trois cigarettes par jour. Sans doute que je pourrais fumer davantage, je ne risque plus d'être fauché en pleine jeunesse. Mais j'ai l'impression que ça me suffit. Elle a ajouté quelque chose ?

– Euh… oui. Que d'ici un mois ou deux, vous alliez inviter une femme à dîner. Debbie ou Diana, je ne sais plus.

– Dolores ? Dolores Magowan ?

Son regard avait changé, brusquement, et j'ai regretté que cette conversation n'ait pas eu lieu au tout début. Elle aurait sûrement contribué à asseoir ma crédibilité.

– Oui, c'était peut-être ce nom.

– Mona s'est toujours imaginé que j'avais des vues sur elle, Dieu sait pourquoi.

– Elle a parlé aussi de la graisse de mouton qu'elle mettait sur ses mains…

– De la lanoline, pour ses rhumatismes. Les bras m'en tombent !

– Et aussi ce truc, à propos de votre ceinture. Comme quoi vous ratiez toujours le passant de derrière. Et qu'il n'y aurait plus personne pour vous aider, je crois.

– Oh, mon Dieu, a soufflé le professeur. Mon Dieu, Jamie…

– Et puis, elle vous a embrassé. Sur la joue.

Ce n'était qu'un petit baiser qui datait de plusieurs années, mais l'argument a été décisif. Je pense que lui aussi, il avait envie d'y croire. Pas de croire à tout et n'importe quoi, mais au moins à ce qui touchait à sa femme. Croire à son baiser, à sa présence.

J'ai préféré m'éclipser tant que j'avais l'avantage.

40

Sur le chemin du retour, j'ai guetté la présence de Therriault. Une sorte de réflexe, à ce stade-là, mais je ne l'ai aperçu nulle part. Une bonne chose, même si j'avais renoncé à espérer une disparition définitive. Tôt ou tard, il resurgirait forcément, comme chaque fois qu'on parle du loup. Mon seul espoir, c'était d'être prêt pour l'affrontement le jour où il se montrerait.

Le soir même, j'ai reçu un mail du professeur Burkett.

J'ai fait quelques recherches qui ont donné des résultats instructifs. J'ai pensé qu'ils pouvaient t'intéresser.

Il avait joint plusieurs fichiers au message, trois critiques du dernier roman de Regis Thomas parues dans la presse. Il avait juste surligné les passages qui lui semblaient pertinents, me laissant en tirer mes propres conclusions. Ce que je n'ai pas manqué de faire.

Le *Sunday Times Book Review* : « Pour son chant du cygne, Regis Thomas nous livre le cocktail habituel d'ébats érotiques et de péripéties en milieu hostile. Cependant, sa prose est plus ciselée que d'ordinaire, on y repère même quelques pépites. »

Le *Guardian* : « Le dénouement tant attendu de la Saga de

Roanoke aura peu de chances de surprendre ses fans, mais la narration est plus dynamique que dans les tomes précédents, où les descriptions ampoulées alternaient avec de torrides scènes de sexe qui frôlaient parfois le ridicule. »

Le *Miami Herald* : « Les dialogues font mouche, le rythme est enlevé. Et pour une fois, la liaison entre Laura Goodhugh et Purity Betancourt se révèle pleine d'émotion et d'authenticité, loin des clichés racoleurs dont l'auteur était coutumier. Thomas avait gardé le meilleur pour la fin. »

Partager ces critiques avec ma mère aurait soulevé trop de questions gênantes, mais j'étais persuadé qu'elle les avait déjà lues, et qu'elles lui avaient procuré autant de joie qu'à moi. Non contente d'avoir réussi son coup, elle avait encore redoré l'image tristement ternie de l'écrivain.

Au cours des semaines et des mois qui ont suivi ma rencontre avec Therriault, nombreux ont été les soirs où je me suis couché plein de tristesse et de frayeur. Mais ce soir-là n'en fait pas partie.

41

Si je vous dis qu'au cours de cet été-là, je ne sais pas exactement combien de fois j'ai vu Therriault, vous voyez où je veux en venir ? Je m'explique, pour ceux qui n'auraient pas compris : j'étais en train de m'habituer à lui, chose qui m'aurait semblé impossible le jour où je l'avais découvert derrière la voiture de Liz Dutton, assez proche de moi pour pouvoir me toucher. Je n'y aurais pas cru davantage la fois où il m'était apparu dans la cabine d'ascenseur, m'annonçant avec un grand sourire que ma mère avait un cancer, comme si c'était la plus fantastique des nouvelles. Mais il paraît que la familiarité engendre le mépris, et c'est bien ce qui s'est produit dans mon cas.

J'admets que ç'aurait été moins facile s'il s'était planqué dans ma penderie, ou pis encore, sous mon lit ; dans ma petite enfance, j'étais convaincu que « le monstre » s'embusquait là-dessous, guettant l'occasion de saisir le pied ou le bras qui dépassait des couvertures.

Pendant l'été, je me suis plongé dans *Dracula*. Pas le texte de Bram Stoker, mais un formidable roman graphique que j'avais acheté chez Forbidden Planet, la librairie spécialisée. À en croire le personnage de Van Helsing, un vampire n'avait pas le pouvoir d'entrer s'il n'y était pas invité.

En toute logique – du moins pour un ado de treize ans –, ce qui s'appliquait aux vampires valait aussi pour les autres créatures surnaturelles. En particulier celle qui habitait Ken Therriault et l'empêchait de disparaître au bout de quelques jours, comme les morts normaux. J'ai consulté Wikipedia pour savoir si cet élément n'était qu'une invention de Stoker, mais non, il figurait aussi dans une foule de légendes relatives aux vampires. Aujourd'hui (dans le monde de l'après), j'en appréhende mieux la portée symbolique. Si vraiment nous sommes doués de libre arbitre, alors c'est nous qui invitons le mal à venir.

Autre chose : Therriault avait quasiment cessé de me faire signe d'approcher. En général, il se bornait à m'observer à distance, et la seule fois où il m'a fait signe, la scène était plutôt cocasse. Si tant est que ce mot puisse concerner de près ou de loin cette ordure de mort pas mort.

Le dernier samedi du mois d'août, maman nous a dégoté des entrées pour un match de baseball, les Mets contre les Tigers. Les Mets ont pris une énorme raclée, mais ce n'était pas grave, vu que ma mère avait récupéré deux places géniales auprès d'un ami éditeur (les agents littéraires savent se faire des amis, n'en déplaise à l'opinion générale). On était assis au niveau de la troisième base, dans la deuxième rangée des gradins. Pendant la septième manche, alors que les Mets n'étaient pas encore enterrés, j'ai revu Kenneth Therriault. Je cherchais des yeux le marchand de hot-dogs, et quand j'ai tourné la tête, mon vieux copain Thumper se tenait près de la boîte de l'entraîneur à la troisième base. Même pantalon en toile. Même chemise couverte de sang sur toute la moitié gauche. Le crâne explosé comme si on y avait allumé un pétard géant. Il souriait, et il me faisait signe. Encore.

L'*infield* des Tigers faisait un lancer, et juste après que j'ai vu Therriault, l'arrêt-court qui couvrait le joueur de troisième but a raté son coup. Le public a réagi par les huées habituelles. *Bravo, ma grand-mère en aurait fait autant !* Moi, je suis resté pétrifié, les poings tellement serrés que mes ongles m'écorchaient les paumes. L'arrêt-court n'a pas vu Therriault – sinon il se serait sauvé en hurlant –, mais il a *senti* sa présence. Je le sais très bien.

Et ce n'est pas tout : l'entraîneur s'est avancé pour ramasser la balle, puis il s'est ravisé et l'a laissée rouler jusqu'à l'abri de touche. S'il était allé la récupérer, il se serait approché de la chose que j'étais le seul à voir. Est-ce qu'il a senti une espèce de courant froid, comme dans un film de fantômes ? Je ne pense pas. Je crois plutôt que, l'espace d'une seconde, il a eu l'impression que l'atmosphère tremblait autour de lui ; qu'elle vibrait à la manière d'une corde de guitare. Et je ne dis pas ça pour rien.

Maman a fini par s'inquiéter.

– Tout va bien, Jamie ? Tu n'es pas en train d'attraper une insolation, au moins ?

– Non, non, ça va.

(Et c'était à peu près la vérité, malgré mes poings contractés.)

– Tu n'aurais pas vu le marchand de hot-dogs ?

Pendant qu'elle se penchait pour appeler le vendeur le plus proche, j'en ai profité pour faire un doigt d'honneur à Therriault. Son sourire s'est changé en un rictus féroce qui a dénudé ses dents. Il s'est éloigné vers l'abri de touche des visiteurs et, sans même en avoir conscience, les joueurs qui se trouvaient là se sont poussés pour lui faire une place sur le banc.

Je me suis rassis avec un sourire. Je n'en étais pas encore à me dire que je l'avais vaincu avec un simple doigt d'honneur – sans crucifix ni eau bénite –, mais l'idée s'est mise à germer pour de bon.

À la neuvième manche, le public a commencé à partir. Les Tigers menaient trop largement pour que les Mets gardent une chance de rattraper leur retard.

Après le match, ma mère m'a proposé de rester pour les animations de Mr Met, la mascotte de l'équipe de New York. Je n'ai pas voulu, j'estimais que c'était réservé aux petits. J'y avais participé une fois, des années en arrière. Avant Liz, avant que ce salopard de James Mackenzie nous pique notre argent avec sa grosse arnaque. Avant même que Mrs Burkett m'ait fait remarquer que les dindes n'étaient pas vertes. À l'époque où je n'étais qu'un petit gosse, et où le monde était mon royaume.

Autant dire dans une autre vie.

42

Je ne me posais jamais la question à l'époque, mais il se peut qu'elle vous ait traversé l'esprit. *Pourquoi moi ? Pourquoi Jamie Conklin ?* Je me suis interrogé très souvent, et je n'ai toujours pas la réponse. Seulement des hypothèses. Mon idée, c'est que j'étais différent des autres, et que « ça » me haïssait précisément pour cette raison – la chose qui habitait la carcasse de Therriault cherchait à me nuire, elle essayait même de me détruire complètement. Ça peut vous sembler dément, mais je crois que, d'une certaine manière, je l'avais *offensée*. Quoiqu'il y ait peut-être eu une autre explication : il se peut, je dis bien il se peut, que le rituel de Chüd ait déjà été engagé.

Quand la chose avait commencé à mettre le bordel dans ma vie, elle n'avait pas pu s'arrêter. Simple supposition, je le répète. Ses motivations avaient peut-être une tout autre origine, insondable pour moi. Ceci est une histoire d'épouvante, je vous avais prévenus.

43

Malgré la peur qui persistait, je n'imaginais plus me dégonfler si l'occasion se présentait de mettre en pratique le rituel du professeur. Il fallait uniquement que j'y sois préparé ; capable d'affronter Therriault face à face, et pas seulement depuis le trottoir opposé ou depuis les gradins d'un stade de baseball.

Et justement, une occasion a surgi un samedi du mois d'octobre, alors que j'avais rendez-vous avec des copains de classe pour jouer au *touch football* à Grover Park. Maman s'était couchée tard pour lire le dernier roman de Philippa Stephens, et elle m'avait écrit un petit mot pour m'avertir qu'elle ferait la grasse matinée. J'étais censé prendre mon petit-déjeuner en silence, et me limiter à une demi-tasse de café. Elle me souhaitait de bien m'amuser et de faire attention à ne pas rentrer avec un bras cassé ou un traumatisme crânien. Je devais être de retour à quatorze heures dernier délai. J'ai soigneusement rangé dans ma poche l'argent qu'elle avait laissé pour mon déjeuner. Son message disait en post-scriptum : *Serait-ce un vœu pieu de te demander de manger quelques crudités, au moins une feuille de laitue dans ton hamburger ?*

Comptes-y, maman, ai-je pensé en avalant mes Cheerios (en silence).

Quand je suis sorti de chez moi, je n'avais pas Therriault en tête. Il apparaissait de plus en plus rarement dans mon immeuble, et je mettais à profit les créneaux disponibles pour me consacrer à d'autres sujets – les filles, essentiellement. En particulier une certaine Valeria Gomez, qui occupait mes pensées tandis que je me dirigeais vers l'ascenseur. Therriault a-t-il choisi ce moment parce qu'il avait accès à mon esprit, et qu'il savait qu'à cette minute je ne pensais pas à lui ? Grâce à une forme grossière de télépathie ? Encore une chose que j'ignore.

J'ai appelé l'ascenseur en me demandant si Valeria assisterait au match. C'était plus que probable, son frère Pablo faisant partie des joueurs. J'étais plongé dans mes rêveries, me voyant déjà feinter tous mes adversaires et foncer vers le but avec le ballon entre les bras, mais j'ai quand même reculé à l'ouverture des portes. Pur réflexe de ma part.

La cabine était vide.

Je suis descendu au rez-de-chaussée, où un bout de couloir menait à une porte verrouillée de l'intérieur qui ouvrait sur un petit hall. Comme la porte principale n'était pas fermée à clé, le facteur pouvait déposer le courrier dans les boîtes aux lettres. Si Therriault s'était trouvé dans le hall, ma tactique n'aurait pas fonctionné. Mais il était à l'intérieur, à l'extrémité du couloir, et il souriait de toutes ses forces, comme si une loi allait interdire de sourire d'un jour à l'autre.

Il a voulu me dire quelque chose – encore une de ses prophéties à deux balles, peut-être –, et si j'avais été en train de penser à lui, je serais sans doute resté cloué sur place, ou je me serais réfugié dans l'ascenseur en appuyant comme un forcené sur le bouton de fermeture. Mais là, je lui en voulais à mort d'avoir gâché mes fantasmes, et toute mon attention s'est concentrée sur ce que le professeur m'avait dit le jour où j'étais allé lui apporter une tourte.

« La morsure de la langue, dans le rituel de Chüd, n'est qu'une cérémonie qui précède la rencontre avec un ennemi. On en trouve de toutes sortes. Face à leurs adversaires, les Maoris dansent en poussant leur cri de guerre. Les pilotes kamikazes se portaient des toasts et en portaient aussi à la photo de leurs cibles avec un saké réputé magique. Dans l'Égypte des pharaons, les deux parties belligérantes se tapaient mutuellement sur la tête avant de sortir les couteaux, les lances et les arcs. Les lutteurs sumo échangent des claques sur les épaules avant un combat. Et toutes ont la même signification : *Nous allons nous affronter, et l'un de nous l'emportera sur l'autre.* En d'autres termes, Jamie, inutile de tirer la langue. Empoigne ton démon et ne le lâche plus. »

Au lieu de rester tétanisé ou de battre en retraite, je me suis lancé aveuglément, bras tendus, comme pour étreindre un ami après une longue absence. Et j'ai poussé un hurlement. Je crois qu'il n'a retenti que dans ma tête, puisqu'il n'a pas ameuté les occupants du rez-de-chaussée. En tout cas, le sourire sanguinolent de Therriault s'est évanoui, et j'ai constaté alors une chose extraordinaire – une chose fabuleuse : il avait peur de moi. Il s'est jeté contre la porte du hall, mais elle ne s'ouvrait pas dans ce sens. Cette fois, il était coincé, et je me suis emparé de lui.

Ce qui est arrivé ensuite, j'aurais beaucoup de mal à vous le décrire. Un écrivain plus talentueux s'y prendrait peut-être mieux que moi, mais je vais quand même faire mon possible. Vous vous souvenez de ma remarque sur ce drôle de tremblement dans l'atmosphère, comme la vibration d'une corde de guitare ? L'enveloppe de Therriault et l'espace autour de lui produisaient ce type de sensation. Les secousses se répercutaient jusque dans mes mâchoires et dans mes globes oculaires. Mais il y avait autre chose, *à l'intérieur* de lui. Quelque chose qui l'avait pris pour réceptacle et l'empêchait de rejoindre le lieu où s'en vont les morts quand leurs liens avec notre monde se décomposent.

Une chose mauvaise qui me hurlait de la laisser tranquille. Ou de lâcher Therriault, ce qui revenait peut-être au même. « Ça » avait peur et « ça » débordait de rage, mais c'était la stupéfaction qui dominait. Se faire attraper de cette façon, c'était totalement imprévu.

Et si Therriault n'avait pas eu le dos collé à la porte, je suis persuadé que cette chose serait parvenue à se libérer. Moi, j'étais encore un gringalet, et Therriault me dépassait de quinze bons centimètres. Et s'il avait été en vie, il aurait pesé cinquante bons kilos de plus que moi. Mais il ne l'était plus, seule la chose à l'intérieur de lui était vivante, et j'aurais juré qu'elle s'était insinuée en lui au moment où je le pressais de questions devant la supérette.

Les vibrations se sont accentuées, elles montaient du sol et descendaient du plafond. La rampe de néons tremblotait en projetant des ombres fluides. Les murs ont paru se gondoler dans un sens puis dans l'autre.

– Lâche-moi, m'a ordonné Therriault.

Même sa voix émettait des vibrations, comme lorsqu'on souffle sur un peigne recouvert de papier huilé. Ses bras se sont soulevés pour se refermer brutalement sur mon dos. J'en ai eu la respiration coupée.

– Lâche-moi, et je te lâcherai aussi.

– Non, ai-je répondu en resserrant ma prise. Et j'ai pensé aussitôt : *Nous y sommes. Voilà le rituel de Chüd. Je suis engagé dans un combat à mort contre un démon, dans le couloir de mon immeuble new-yorkais.*

– Je vais t'étrangler jusqu'à te couper le souffle.

J'arrivais encore à respirer, mais à tout petits coups saccadés. J'avais maintenant l'impression que mon regard pénétrait *à l'intérieur* de Therriault. Tout vibrait autour de moi, le monde semblait près de se briser comme une coupe de cristal, et il se peut que j'aie eu une hallucination. Mais je ne le crois pas. À l'intérieur de Therriault, je ne voyais pas des entrailles, mais une lumière. Vive et sombre en même temps. Une lumière qui n'appartenait pas à ce monde. Une abomination.

Combien de temps sommes-nous restés accrochés l'un à l'autre ? Cinq heures, ou à peine une minute et demie ? Vous me direz que cinq heures, c'est bien trop long pour être crédible, et pourtant, je crois que nous avions échappé au temps ordinaire – je peux presque dire que je le *sais*. Une chose est sûre, les portes de l'ascenseur ne se sont pas fermées au bout de cinq secondes, comme elles le font toujours après la sortie des passagers. Derrière Therriault, je distinguais le reflet de la cabine, et les portes sont restées ouvertes tout du long.

Il a fini par me dire :

– Laisse-moi partir et je ne reviendrai jamais plus.

Cette perspective avait de quoi me séduire, vous le comprendrez, et j'aurais peut-être accepté si le professeur ne m'avait pas mis en garde.

Il essaiera de négocier. Tu dois l'en empêcher.

Il m'avait aussi expliqué la méthode à suivre, croyant certainement que l'ennemi à abattre n'était qu'une névrose ou un complexe personnel – un quelconque trouble psychologique.

Sans relâcher mon étreinte, je lui ai répondu :

– Ça ne va pas suffire.

Alors que mon regard plongeait dans les profondeurs de Therriault, j'ai réalisé qu'il s'agissait bien d'un fantôme. Comme tous les autres morts, je suppose, sauf que je les percevais sous une forme matérielle. Plus il perdait en consistance, plus la lumière-noire en lui – la lumière-morte – brillait intensément. J'ignore ce que c'était réellement, je savais seulement que je tenais cette chose et, comme le dit un proverbe chinois : *Celui qui attrape un tigre par la queue n'a pas intérêt à le lâcher.*

Et ce qui se logeait à l'intérieur de Therriault était plus redoutable que tous les tigres du monde.

– Qu'est-ce que tu veux ?

La chose s'était mise à haleter. Cependant, aucun souffle ne l'animait, je ne sentais rien dans mon cou ni sur mes joues. Peut-être était-elle encore plus mal en point que moi.

– Que tu cesses de me hanter, ça ne me suffit pas.

J'ai respiré un grand coup, puis j'ai prononcé les mots que m'avait recommandés le professeur, pour le cas où je pratiquerais le rituel de Chüd. Et l'atmosphère avait beau vibrer autour de moi, et la chose me tenir sous son étreinte mortifère, j'y ai pris un grand plaisir. Un plaisir de *guerrier*.

– Désormais, c'est *moi* qui vais te hanter.

– Non !

Son étreinte s'est resserrée et je me suis retrouvé plaqué contre Therriault, même s'il se réduisait à une sorte d'hologramme.

– Oh que si.

Le professeur Burkett m'avait conseillé d'ajouter une certaine formule si l'occasion se présentait. J'ai su après qu'elle s'inspirait du titre d'une histoire de fantômes célèbre, ce qui tombait on ne peut mieux.

– Je n'aurai qu'à siffler pour que tu viennes à moi, mon vieux.

– Non !

La chose résistait. Les pulsations de cette lumière toxique me donnaient la nausée, mais j'ai réussi à tenir bon.

– Si. Je te hanterai tant que je le voudrai, chaque fois que je l'aurai décidé. Et si tu refuses, je m'accrocherai à toi jusqu'à ce que tu meures.

– Je ne peux pas mourir ! Mais toi, si !

Une vérité incontestable, et malgré ça je ne m'étais jamais senti aussi puissant. D'autant plus que Therriault ne cessait de s'affaiblir, et que c'était lui, la porte d'entrée de cette chose dans notre monde.

J'ai maintenu mon étreinte en silence. Therriault a maintenu la sienne. À la longue, j'ai senti le froid m'envahir, mes pieds et mes mains menaçaient de lâcher. Pourtant, j'ai résisté. S'il le fallait, j'étais bien décidé à résister indéfiniment. La chose à l'intérieur de Therriault me remplissait de terreur, mais elle était piégée. Moi aussi, bien entendu, c'est le principe de base du rituel de Chüd. Si je cédais le premier, j'étais vaincu.

– J'accepte tes conditions.

J'ai légèrement relâché mon étreinte.

– Est-ce que tu mens ?

La question peut sembler idiote, mais elle avait du sens.

– Je ne peux pas mentir. (Un soupçon de colère dans sa voix.) Tu le sais bien.

– Répète, alors. Dis que tu acceptes.

– J'accepte tes conditions.

– Tu sais que je peux te hanter ?

– Oui, mais je n'ai pas peur de toi.

Il ne manquait pas de culot, mais je savais aussi que Therriault était libre de mentir, du moment qu'on ne lui posait pas de questions précises. Et quand on se sent obligé d'affirmer qu'on n'a pas peur, ça prouve plutôt le contraire, en général. À treize ans, j'en avais déjà conscience, je n'ai pas eu à attendre pour le découvrir.

– Est-ce que tu as peur de moi ?

Le visage de Therriault s'est crispé une fois de plus, comme s'il avait un goût amer dans la bouche. L'effet que produisait la vérité sur cette sale ordure, certainement.

– Oui. Toi, tu n'es pas comme les autres. Tu *vois*.

– Oui quoi ?

– Oui, *j'ai peur de toi !*

Douces paroles.

J'ai fini par le libérer.

– Quoi que tu sois, dégage d'ici et va ou tu dois aller. Mais rappelle-toi : si je te siffle, tu viens à moi.

Il a pivoté sur lui-même, exhibant pour la dernière fois le trou béant de son crâne. Lorsqu'il a saisi le bouton de la porte, sa main est passée au travers, et je peux dire en même temps qu'elle n'est *pas* passée au travers. Je sais, le paradoxe a l'air délirant, mais c'est ainsi. Je l'ai vu de mes propres yeux. Le bouton a tourné, la porte s'est ouverte. À ce moment-là, les lampes du plafond ont explosé dans un tintement de verre brisé, et une dizaine de boîtes aux lettres se sont ouvertes toutes seules dans le hall. Therriault m'a lancé un dernier regard haineux par-dessus son épaule sanglante, et puis il est parti. La porte d'entrée est restée ouverte derrière lui. Quand il a dévalé les marches, j'ai eu l'impression qu'il plongeait en avant. Un cycliste qui roulait à toute allure – un livreur, sans doute – a perdu l'équilibre avant de tomber sur la chaussée en jurant.

Je savais déjà que les morts pouvaient avoir un impact sur les vivants, cela ne me surprenait plus. J'en avais été témoin, mais jusque-là les effets restaient assez ténus. Le professeur Burkett avait deviné le baiser de sa femme, Liz avait senti passer sur son visage le souffle de Regis Thomas. Mais ce à quoi je venais d'assister prenait une tout autre dimension. Les ampoules éclatées, le bouton de porte qui tournait en vibrant et en tressautant, le livreur qui tombait de bicyclette.

La chose que j'appelais lumière-morte avait failli perdre son hôte pendant que je le tenais, mais quand j'avais lâché prise,

elle avait fait beaucoup plus que reprendre possession de Therriault : ses forces s'étaient décuplées. Sans doute avait-elle puisé
dans les miennes, mais je ne me sentais pas faible pour autant
(contrairement à la pauvre Lucy Westenra, que le comte Dracula
utilisait comme garde-manger personnel). Pour tout dire, je me
sentais frais et dispos comme jamais, au sommet de ma forme.

La chose avait gagné en puissance, et alors ? Désormais, elle
était à moi, j'en avais fait mon putain de larbin.

Pour la première fois depuis que Liz m'avait embarqué devant
l'école pour partir traquer Kenneth Therriault, je me suis senti
bien. Comme quelqu'un qui se relève d'une grave maladie, et
qui tient enfin le bon bout.

44

Je suis rentré chez moi vers quatorze heures quinze. Légèrement en retard, mais pas de quoi essuyer un « D'où-tu-sors-je-me-faisais-un-sang-d'encre ». Je m'étais écorché un bras, et j'avais troué mon pantalon au genou en prenant une gamelle, bousculé sur le terrain par un grand du lycée, mais à part ça, j'avais une pêche d'enfer. D'accord, Valeria Gomez n'était pas venue voir le match, mais j'avais croisé deux de ses copines, et l'une des deux m'avait assuré que je plaisais à Valeria ; l'autre fille m'avait conseillé de lui parler, ou de m'asseoir à sa table à la cafétéria de l'école.

Ce qui m'ouvrait de belles perspectives.

En entrant dans le hall, j'ai remarqué qu'on avait refermé les boîtes aux lettres qui s'étaient ouvertes avant le départ – ou la fuite – de Therriault. Le gardien avait dû s'en occuper. Mr Provenza avait également balayé les éclats de verre et posé une pancarte HORS SERVICE devant l'ascenseur. En la voyant, j'ai repensé au jour où j'étais rentré de l'école avec mon dessin de Thanksgiving. L'ascenseur du Palace de Park Avenue était en panne, et maman avait râlé : *Ascenseur de merde ! Oups, t'as rien entendu, hein ?*

C'était dans une autre vie.

J'ai pris les escaliers et je suis entré discrètement. Maman avait déplacé son fauteuil de bureau devant la fenêtre, où elle lisait en buvant son café.

— Ah, j'allais justement te téléphoner. (Elle a jeté un regard dans ma direction.) Oh non, pas ton pantalon neuf !

— Désolé. Peut-être que tu pourras le réparer.

— J'ai de nombreuses compétences, mais la couture n'en fait pas partie. Je l'apporterai à Mrs Abelson, chez Dandy Cleaners. Qu'est-ce que tu as mangé, pour le déjeuner ?

— Un burger. Avec des tomates et de la laitue.

— C'est bien la vérité ?

— Je suis incapable de mentir, tu le sais.

Un léger frisson m'a parcouru — ces mots venaient de me rappeler Therriault.

— Montre-moi plutôt ton bras. Viens par ici, que je te voie mieux. (Je me suis approché en lui présentant ma blessure de guerre.) Bon, je pense que tu n'as pas besoin de pansement, mais tu vas quand même te désinfecter avec de la pommade.

— Ça marche, à condition que je regarde le sport sur ESPN.

— Moi, je veux bien, mais on n'a plus d'électricité. À ton avis, pourquoi je me suis installée devant la fenêtre ?

— Ah, oui. Ça explique aussi que l'ascenseur ne fonctionne pas.

— Mon cher Holmes, je suis éblouie par vos capacités de déduction. (Une des blagues littéraires de maman. Elle en avait un stock inépuisable.) C'est seulement notre immeuble qui a un problème. D'après Mr Provenza, quelque chose a tout fait disjoncter. Un genre de surtension, si j'ai bien compris. Il n'avait jamais vu un truc pareil. Il va faire son possible pour réparer d'ici ce soir, mais j'ai bien peur qu'on doive se contenter de bougies et de lampes électriques.

J'ai aussitôt pensé à Therriault, mais ce n'était pas lui, le responsable. C'était la lumière-morte qui l'habitait. La chose qui avait fait éclater les ampoules, ouvert les boîtes aux lettres et grillé les circuits pour faire bonne mesure.

Quand je suis allé chercher le tube de crème à la salle de bains, j'ai appuyé sur l'interrupteur. Automatisme débile. Assis sur le canapé, j'ai tartiné la plaie de pommade antibiotique, le regard fixé sur la télévision éteinte. Je me demandais combien il existait de disjoncteurs dans un immeuble de cette taille, et quelle puissance il fallait pour cramer l'ensemble.

La chose qui avait fait ça, je pouvais siffler pour la convoquer. Répondrait-elle vraiment à l'appel de Jamie Conklin ? Pour un gamin qui n'avait pas encore le droit de conduire, cela représentait un pouvoir démesuré.

– Maman ?

– Oui ?

– Tu crois que je suis assez grand pour avoir une petite amie ?

Elle n'a même pas levé les yeux de son manuscrit.

– Non, mon chéri.

– Alors c'est quand, le bon âge ?

– Vingt-cinq ans, ça te convient ?

Maman a éclaté de rire, et moi aussi. D'ici là, ai-je pensé, je serais peut-être capable d'appeler Therriault pour qu'il m'apporte un verre d'eau. D'un autre côté, la chose risquait d'y mettre du poison. Histoire de rigoler un bon coup, je pourrais lui demander de se tenir sur la tête – enfin, sur celle de Therriault –, de faire le grand écart et même de marcher au plafond, pourquoi pas. Je pourrais aussi laisser tomber, et lui dire simplement : « Tire-toi, mon gars. » D'ailleurs, je n'étais pas forcé d'attendre mes vingt-cinq ans, je pouvais le faire quand je le déciderais. Pas tout de suite, en tout cas. Je tenais à ce qu'elle soit momentanément ma prisonnière, pour changer. Cette atroce lumière maléfique réduite à l'état de luciole dans un bocal. Ce serait une bonne leçon.

Le courant a été rétabli vers vingt-deux heures, et tout allait pour le mieux dans le meilleur des mondes.

45

Le dimanche, maman m'a proposé de passer chez le professeur Burkett. On prendrait de ses nouvelles, et elle récupérerait son plat par la même occasion.

— Tiens, a-t-elle suggéré, on pourrait acheter des croissants chez Haber.

J'ai répondu que ça m'allait et elle a téléphoné au professeur, qui s'est réjoui de notre visite. Après un passage par la boulangerie, nous sommes montés dans un taxi. Maman avait horreur des Uber. Pas assez new-yorkais à son goût, contrairement aux taxis.

Le professeur Burkett n'avait plus besoin que d'une seule canne, et il se déplaçait sans trop de mal. À croire que le miracle de la guérison fonctionne jusque tard dans la vie. Aucune chance qu'il coure le marathon de New York, naturellement, mais il est venu accueillir maman à la porte, et je n'ai pas eu peur de le voir s'étaler quand il m'a serré la main. Le professeur m'a lancé un regard entendu, j'ai hoché doucement la tête, et alors il m'a fait un sourire. On se comprenait, lui et moi.

Maman s'est dépêchée de servir les croissants, accompagnés de noisettes de beurre et de mini-pots de confiture. Nous avons pris le petit-déjeuner à la cuisine, baignés par les rayons obliques du soleil de dix heures. Un régal. Ensuite maman a transvasé les restes de sa tourte dans un Tupperware pour pouvoir laver son plat. Il en avait laissé une bonne partie, les personnes âgées ont un appétit d'oiseau. Pendant que le plat séchait, ma mère s'est éclipsée aux toilettes. Le professeur en a profité pour se rapprocher de moi.

– Alors, quelles sont les nouvelles ?

– Hier, je l'ai trouvé dans le couloir en sortant de l'ascenseur. Je n'ai pas réfléchi, je me suis juste précipité sur lui pour l'attraper.

– Vraiment ? Ce Therriault était bien là ? Tu as pu le voir ? Le *sentir* ?

Vous voyez, il avait toujours dans l'idée que j'imaginais toute l'affaire. Je le devinais à son expression, mais comment lui en vouloir ?

– Oui, sauf que ce n'était plus Therriault. Il y a quelque chose à l'intérieur de lui, une lumière – elle a tenté de s'échapper, mais j'ai tenu bon. J'avais peur, et en même temps, je savais qu'il ne me fallait pas lâcher prise. Finalement, quand cette chose a compris que Therriault commençait à se désintégrer...

– Pardon ? Que veux-tu dire par là ?

J'ai entendu le bruit de la chasse d'eau. Maman allait bientôt nous rejoindre, elle n'avait plus qu'à se laver les mains.

– Cette chose, professeur – j'ai suivi les conseils que vous m'avez donnés. Je lui ai dit que si je sifflais, elle devrait venir à moi. Et que dorénavant, ce serait moi qui la hanterais. Et elle a accepté, je l'ai forcée à confirmer.

Le retour de ma mère l'a empêché de me questionner davantage, mais son trouble était évident – à mon avis, il s'entêtait à penser que l'affrontement n'avait eu lieu que dans mon esprit. Même si je comprenais, sa réaction m'a pas mal énervé. Mince, il était quand même au courant de l'histoire des bagues et de l'affaire Regis Thomas ! Avec le recul, je me sens plus indulgent : pour se mettre à croire, il faut surmonter un obstacle de taille, et les gens intelligents ont sans doute plus de difficulté. Ces gens-là ont beaucoup de connaissances, ce qui leur donne peut-être l'impression de tout savoir.

– Jamie, il faudrait qu'on y aille, a signalé maman. Je dois finir de lire un manuscrit.

– Tu as *toujours* un manuscrit à finir.

Elle a éclaté de rire, parce que c'était la pure vérité. À l'agence et à la maison, il y avait toujours de grosses piles de manuscrits en attente.

– Avant de partir, raconte au professeur ce qui s'est passé hier dans notre immeuble. Figurez-vous qu'il s'est produit un drôle d'incident, Marty. Tous les compteurs ont disjoncté, exactement au même instant. Mr Provenza, le gardien, attribue ça à un problème de surtension. Il n'avait jamais vu un truc pareil.

Le professeur a eu l'air dérouté.

– C'est arrivé seulement dans votre bâtiment ?

– Oui, c'est bien ça. Allez, viens, Jamie, on va laisser Marty se reposer.

Au moment du départ, on a rejoué la scène de l'arrivée. Regard entendu du professeur, petit signe de tête de ma part.

On se comprenait, lui et moi.

46

Dans la soirée, j'ai reçu un mail du professeur, envoyé depuis son iPad. Il était la seule personne de ma connaissance à terminer un message par des salutations, et à ne pas utiliser les abréviations habituelles, comme LOL ou AMHA (pour « à mon humble avis », au cas où vous ne seriez pas au courant).

Cher Jamie,
Après votre visite, ce matin, j'ai effectué quelques recherches au sujet de la bombe du supermarché d'Eastport – chose que j'aurais dû faire bien plus tôt. Et j'ai découvert plusieurs éléments intéressants. Elizabeth Dutton n'a jamais figuré en bonne place dans les comptes rendus de la presse. C'est la Brigade des explosifs qui a accaparé les lauriers, avec une mention spéciale pour les chiens (les gens les adorent, je pense que le maire aurait dû en décorer un). Elizabeth Dutton était seulement citée comme « l'inspectrice qui avait reçu un tuyau d'un ancien informateur ». Je me suis étonné qu'elle n'ait pas participé à la conférence de presse qui a suivi la neutralisation de la bombe, et qu'elle n'ait pas obtenu non

plus de récompense officielle. Elle a toutefois réussi à sauver son emploi. Sans doute était-ce la seule rétribution qu'elle attendait, et ses supérieurs ont dû estimer qu'elle ne méritait pas plus.

Le résultat de mes recherches, ajouté à la curieuse coupure de courant dans l'immeuble au moment où tu affrontais Therriault et à divers éléments sur lesquels tu m'as alerté, me met dans l'impossibilité de douter de ce que tu m'as raconté.

Il me reste cependant à te mettre en garde. Je n'ai pas tellement apprécié ton air assuré quand tu as prétendu que c'était ton tour de le hanter, et qu'il te suffirait de siffler pour qu'il vienne à toi. Cela marcherait peut-être, mais JE TE SOMME DE T'EN ABSTENIR. Il arrive que les funambules tombent dans le vide. Et certains dresseurs se font attaquer par les fauves qu'ils croyaient avoir parfaitement domptés. Dans certaines circonstances, même le chien le plus fidèle peut mordre la main de son maître.

Le conseil que je te donne, Jamie, est de te tenir loin de cette chose.

Avec toutes mes amitiés

Professeur Martin Burkett (Marty)

P.S. : Je donnerais cher pour connaître les détails de ton expérience extraordinaire. Si tu as le temps de passer chez moi, je t'écouterai avec un immense intérêt. Étant donné que cette affaire semble se conclure à ton avantage, je présume que tu préféreras épargner à ta mère le récit de tes aventures.

J'ai tapé une réponse dans la foulée. Et même si mon message était bref, j'ai bien pris soin de le rédiger à sa manière, comme une lettre à l'ancienne.

> *Cher professeur Burkett,*
> *Je viendrai avec plaisir, mais je ne suis pas libre avant mercredi prochain : le lundi, j'ai une sortie de prévue au Metropolitan Museum, et un match de volley le mardi, filles contre garçons. Si vous êtes d'accord pour mercredi, je passerai après l'école, vers 15 heures 30, mais je ne pourrai pas rester plus d'une heure. Je dirai à ma mère que j'avais envie de vous voir, ce qui est la stricte vérité.*
> *Bien amicalement,*
>
> *James Conklin*

Le professeur m'a répondu immédiatement, il était sûrement devant son iPad. Je l'imaginais assis dans son salon, entouré de ses vieilles photos encadrées.

> *Cher Jamie,*
> *Mercredi prochain me convient tout à fait. Je t'attends donc vers 15 heures 30, je me procurerai des cookies aux raisins secs. Tu prendras du thé avec, ou plutôt une boisson fraîche ?*
> *Cordialement,*
>
> *Marty Burkett*

Cette fois, je n'ai pas pris la peine de lui faire une lettre en bonne et due forme. J'ai simplement écrit : *Une tasse de café ne serait pas de refus*. Et j'ai précisé après réflexion : *Maman est d'accord*. Ce qui n'était pas tout à fait faux. En retour, j'ai eu droit à un émoji – un pouce levé. Le professeur devenait carrément branché.

Finalement, je lui ai bel et bien reparlé, mais il n'y avait ni boissons ni petits gâteaux. Ces choses-là, il n'en avait plus besoin, pour la bonne raison qu'il était mort.

47

Le mardi matin, j'ai reçu un nouveau message de sa part. Ma mère et plusieurs autres personnes ont trouvé le même dans leur boîte.

Chers amis et collègues,
Je viens d'apprendre une triste nouvelle. David Robertson
— mon ami et collègue, ancien directeur de mon département
à l'université — a eu une attaque cérébrale hier soir, dans sa
maison de retraite de Siesta Key en Floride. Il se trouve actuel-
lement au Memorial Hospital de Sarasota. Il est probable qu'il
n'y survivra pas, et qu'il ne reprendra jamais connaissance, mais
il y a plus de quarante ans que je côtoie David et sa charmante
épouse Marie, et même s'il m'en coûte, je tiens absolument à
faire le déplacement, ne serait-ce que pour apporter mon soutien
et assister aux obsèques en cas d'issue fatale. Les rendez-vous
que j'avais fixés sont annulés jusqu'à mon retour.
Je logerai au Bentley Boutique Hotel (quel nom !) à Osprey,
où vous pouvez me joindre si besoin est. Le moyen le plus sûr
de me contacter reste bien entendu mon adresse mail. Comme

vous le savez sans doute, je ne possède pas de téléphone por-
table. Toutes mes excuses pour la gêne occasionnée.
Avec mes amicales salutations,

Martin F. Burkett,
professeur émérite

– Il est d'une autre époque, ai-je dit à ma mère pendant le
petit-déjeuner – pamplemousse et yaourt pour elle, Cheerios
pour moi.

– En effet, et les spécimens de son espèce se font rares. À
son âge, se précipiter au chevet d'un ami mourant ! C'est remar-
quable… admirable… Et ce mail qu'il t'a écrit !

– Sache que le professeur Burkett n'écrit pas des mails, il
rédige des lettres.

– C'est exact, mais ce n'est pas à ça que je pensais : à l'âge
qu'il a, tu crois vraiment qu'il avait une foule de rendez-vous
à décommander ?

J'en connais au moins un, en tout cas.

Mais ça, je l'ai gardé pour moi.

48

J'ignore si son vieil ami s'en est sorti ou pas. Tout ce que je sais, c'est que le professeur n'est pas revenu. Il a eu une crise cardiaque pendant le vol, et quand l'avion a atterri, il était mort dans son siège. C'est un autre ami de longue date, un avocat qui comptait parmi les destinataires du mail, qui a été prévenu par téléphone. Il s'est occupé des démarches pour le rapatriement du corps, et ensuite ma mère a pris le relais. Pour pouvoir organiser les obsèques, elle a fermé momentanément l'agence, et je me suis senti très fier d'elle. Elle a beaucoup pleuré parce qu'elle avait perdu un ami, et moi je partageais sa tristesse, vu que son ami était devenu le mien. Depuis le départ de Liz, il était le seul adulte dont je me sentais proche, en dehors de maman.

La cérémonie s'est déroulée à l'église presbytérienne de Park Avenue, qui avait accueilli les obsèques de l'épouse du professeur Burkett sept ans plus tôt. La fille de la côte Ouest n'a pas daigné se montrer, ce qui a scandalisé ma mère. Par simple curiosité, j'ai consulté après coup la liste des destinataires du dernier mail, et je me suis aperçu qu'elle n'y figurait pas. Il n'y avait que trois femmes dans le groupe : ma mère, Mrs Richards, une vieille amie du professeur qui habitait au quatrième dans l'immeuble de Park Avenue, et la fameuse Dolores Magowan, dont Mona avait imaginé qu'elle sortirait avec son mari peu après son décès.

À l'église, j'ai cherché le professeur Burkett du regard : si sa femme avait assisté à ses propres obsèques, il se pouvait qu'il le fasse lui aussi. Il n'y était pas, mais cette fois nous sommes allés au cimetière, et je l'ai vu assis sur une pierre tombale. Deux ou trois mètres le séparaient de l'assemblée, mais il était assez près pour entendre ce qui se disait. Pendant la prière commune, je lui ai adressé un signe discret de la main. J'ai à peine remué les doigts, mais il l'a remarqué et m'a fait signe à son tour, avec un sourire. Lui, c'était un mort tout à fait normal, pas un monstre dans le genre de Therriault, et je me suis mis à pleurer.

Ma mère m'a passé un bras autour des épaules.

49

Les obsèques tombaient le lundi, si bien que j'ai raté la sortie scolaire au Metropolitan Museum. Quand on est rentrés à la maison, j'ai annoncé à maman que j'avais besoin de réfléchir et que je sortais faire un tour.

— Pas de problème, si tu te sens assez bien... Jamie, tu es sûr que ça va ?

— Oui, oui, ça va.

Je lui ai fait un sourire pour le lui prouver.

— Ne rentre pas après dix-sept heures, sinon je vais m'inquiéter.

— Promis.

J'étais déjà à la porte quand elle m'a posé la question que j'attendais :

— Est-ce qu'il était là ?

J'avais eu l'intention de mentir pour ne pas la peiner, mais dans le fond, la vérité risquait de la réconforter.

— Oui. Mais pas à l'église, seulement au cimetière.

— Et... de quoi avait-il l'air ?

J'ai répondu qu'il semblait normal, et je ne mentais pas. Les morts portent toujours la même tenue qu'au moment du décès, comme je l'ai dit, et le professeur était vêtu d'un complet marron un peu trop grand, mais très classe quand même, à mon humble avis. J'aimais bien l'idée qu'il se soit mis sur son trente et un pour voyager en avion, ça collait bien avec son personnage vieux jeu. Par contre, il n'avait plus sa canne, je suppose qu'il ne la tenait pas à l'instant de sa mort, ou qu'elle était tombée pendant sa crise cardiaque.

– Jamie ? Tu voudrais bien faire un câlin à ta vieille maman avant de partir ?

Je l'ai serrée très longtemps dans mes bras.

50

J'ai marché jusqu'au Palace de Park Avenue. Il avait bien grandi, le gamin qui était rentré chez lui un après-midi d'automne, une main dans la main de sa mère, l'autre serrant un dessin de Thanksgiving. Il était plus grand, plus vieux et peut-être plus avisé, mais foncièrement, c'était toujours la même personne. On change et on reste le même, les deux sont vrais. Un mystère que je suis incapable d'expliquer.

Sans clé, je n'aurais pas pu accéder à l'immeuble, mais je n'en ai pas eu besoin : le professeur Burkett se tenait assis sur les marches dans son costume de voyage marron. Une vieille dame est passée devant lui avec un petit chien à poils longs. Le chien a regardé le professeur, mais pas elle.

– Bonjour, professeur.

– Bonjour, Jamie.

Cela faisait cinq jours qu'il était décédé à bord de l'avion, et sa voix commençait à s'affaiblir, comme chez tous les morts. On aurait dit qu'il me parlait de loin et que la distance ne cessait d'augmenter. Et même s'il conservait sa gentillesse habituelle, je devinais chez lui une sorte de détachement. La plupart des défunts sont ainsi. Même Mrs Burkett, quoiqu'elle se soit montrée plus bavarde que la moyenne. Il y en a qui ne parlent pas du tout, à moins qu'on leur pose une question. Est-ce parce qu'ils ne font que regarder le défilé au lieu d'y participer ? L'image me paraît assez juste, et pourtant, ce n'est pas tout à fait ça. On a l'impression que des affaires plus importantes retiennent leur attention. Pour la première fois, j'ai compris que le professeur devait avoir du mal à m'entendre, lui aussi. Le monde était sûrement en train de s'effacer devant lui.

— Tout va bien ?

— Oui.

— Vous avez eu mal, pendant votre crise cardiaque ?

— Oh oui, mais ça n'a pas duré longtemps.

Au lieu de me regarder, il contemplait la rue, comme s'il voulait enregistrer la scène.

— Il y a des choses que je peux faire pour vous ?

— Oui, une seule. N'appelle jamais Therriault. Il est parti, tu vois, et ce qui viendrait à toi est la chose qui a pris possession de lui. Dans la littérature, il me semble qu'on appelle ces entités des envahisseurs.

— D'accord, professeur, je vous le promets. Mais pourquoi a-t-elle réussi à prendre possession de lui, à la base ? Parce que Therriault était déjà mauvais ? C'est ça ?

— Je ne peux rien affirmer, mais ça me paraît plausible.

J'ai repensé à l'e-mail qu'il m'avait envoyé.

— Ça vous intéresse toujours, de savoir ce qui s'est passé quand je l'ai attrapé ? Les détails ?

— Non. (Je me sentais déçu, mais pas surpris. L'existence

des vivants est indifférent aux morts.) Rappelle-toi seulement ce que je t'ai dit.

– Promis, ne vous tracassez pas.

Une pointe d'agacement a affleuré dans sa voix.

– Je suis quand même un peu ennuyé. Tu as fait preuve d'un courage incroyable, mais tu as eu aussi une chance inouïe. Toi qui es un enfant, tu n'en as pas conscience, mais tu dois me croire sur parole : cette chose n'appartient pas à notre univers. Il existe au-delà des abominations qu'aucun homme ne saurait concevoir. Et si tu barguignes avec ça, tu risques la mort, la folie ou l'anéantissement de ton âme.

Je n'avais jamais entendu le terme « barguigner » – sûrement un de ses mots d'une autre époque –, mais j'ai saisi l'essentiel. Et si son but était de m'effrayer, il avait réussi. L'anéantissement de mon *âme* ? Dieu du ciel !

– Jamais je ne le ferai, je vous le jure.

Le professeur ne m'a pas répondu. Il regardait simplement la rue, les mains posées sur ses genoux.

– Vous allez me manquer, professeur.

– J'imagine…

Sa voix devenait de plus en plus faible, et bientôt, je ne l'entendrais plus du tout, je verrais seulement bouger ses lèvres.

– Je peux vous demander une dernière chose ?

Question parfaitement stupide. Si on les interroge, ils sont obligés de répondre, même si la réponse n'est pas forcément à notre goût.

– Oui.

J'ai posé ma question.

51

Quand je suis arrivé, maman était en train de préparer notre recette de saumon préférée. Deux serviettes humides pour faire une papillote, cuisson au micro-ondes. Incroyablement bon pour quelque chose d'aussi simple.

— Tu arrives pile au bon moment. J'ai acheté une salade César en sachet, tu veux bien mélanger les ingrédients ?

— Ça marche.

J'ai sorti le sachet du « frigidaire ».

— N'oublie pas de rincer la laitue. Ils prétendent qu'elle est déjà lavée, mais je ne leur fais pas confiance. Prends une passoire.

J'ai mis les feuilles dans la passoire pour les rincer sous le robinet de l'évier, et j'ai dit à maman sans la regarder, concentré sur ma tâche :

— Je suis passé à notre ancien immeuble.

— Je m'en doutais un peu, tu vois. Et il était là-bas ?

— Oui. Je lui ai demandé pourquoi sa fille ne venait jamais le voir. Et pourquoi elle n'avait même pas assisté aux obsèques. (J'ai éteint le robinet.) En fait, elle est dans un hôpital psychiatrique. Il a dit qu'elle y resterait jusqu'à la fin de ses jours. Elle a tué son bébé, et ensuite, elle a tenté de se suicider.

Ma mère s'apprêtait à enfourner le saumon, mais elle l'a reposé sur le comptoir avant de se laisser tomber sur un tabouret.

– Mon Dieu. Mona m'avait raconté qu'elle était chercheuse dans un labo de biologie de Caltech. Elle paraissait tellement fière d'elle !

– D'après le professeur Burkett, elle est cata-je-sais-pas-quoi.

– Catatonique.

– C'est ça, oui.

Maman contemplait le saumon du dîner, dont la chair brillait à travers l'emballage en papier. Sourcils froncés, elle s'est absorbée dans ses réflexions, puis son visage s'est détendu.

– Nous avons appris quelque chose que nous n'étions pas censés découvrir. C'est fait, et nous ne pouvons rien y changer. Mais tout le monde a des secrets, Jamie. Tu t'en rendras compte un jour.

Je le savais déjà, grâce à Liz et à Kenneth Therriault. Et plus tard, je percerais même le secret de ma mère.

Après.

52

Kenneth Therriault n'est plus apparu aux informations, de nouveaux monstres lui avaient volé la vedette. Et comme il ne venait plus me hanter, il a également cessé d'occuper toutes mes pensées. Lorsque les premiers froids de l'hiver ont succédé à l'automne, j'avais encore tendance à reculer quand l'ascenseur s'ouvrait devant moi, mais à l'époque de mon quatorzième anniversaire, cette manie avait disparu.

Il m'arrivait de voir un mort, une fois de temps en temps, et j'ai dû aussi en rater quelques-uns, puisqu'ils ressemblent à n'importe qui s'ils n'ont pas de blessures visibles – ou tant qu'on ne s'approche pas trop près. Il y en a un dont j'aimerais vous parler, quoiqu'il n'ait aucun lien avec l'histoire principale. Un petit garçon, à peine plus vieux que moi le jour où j'avais vu Mrs Burkett. Il se tenait sur le terre-plein central de Park Avenue, vêtu d'un short rouge et d'un T-shirt Star Wars. Son visage était pâle comme du papier mâché, ses lèvres toutes bleues. Et je crois qu'il voulait pleurer, même si ses larmes ne coulaient pas. Il m'était vaguement familier, et j'ai traversé la chaussée pour lui demander ce qui n'allait pas. En plus d'être mort, j'entends bien.

– Je trouve plus le chemin pour rentrer chez moi !

– Tu connais ton adresse par cœur ?

– Oui, c'est le 490, 2ᵉ Avenue, appartement 16 B.

On aurait cru entendre un message enregistré.

– OK, c'est à deux pas d'ici. Viens, mon grand, je te raccompagne.

La résidence s'appelait Kips Bay Court. Quand on est arrivés, le petit garçon s'est assis sur le trottoir. Il ne pleurait plus, et je devinais déjà sur son visage ce regard lointain qui leur vient à tous. Ça m'embêtait de le laisser tout seul, mais que faire d'autre ? Avant de partir, je lui ai demandé comment il s'appelait. En entendant son nom – Richard Scarlatti –, la mémoire m'est revenue. J'avais vu sa photo sur NY1. Des garçons plus âgés l'avaient noyé dans une pièce d'eau de Central Park, Swan Lake. Après coup, les gamins avaient pleuré comme des veaux en affirmant qu'ils voulaient juste rigoler. C'était peut-être la vérité, et il n'est pas exclu que je comprenne un jour, quoique j'en doute énormément.

53

À ce moment-là, nos affaires s'étaient suffisamment arrangées pour que j'envisage de retourner dans une école privée. Ma mère m'a montré les brochures de deux établissements, la Dalton School et le Friends Seminary, mais j'ai préféré rester dans le public et m'inscrire à Roosevelt, qui accueillait l'équipe des Mustangs. Pour maman et moi, ç'a été de belles années. Elle a dégoté un auteur poids lourds qui écrivait des romans peuplés de trolls, d'elfes des bois et de seigneurs lancés dans une quête ou une autre. De mon côté, j'avais plus ou moins une petite amie, Mary Lou Stein. Derrière ce nom ordinaire, se cachait une intello gothique doublée d'une cinéphile avertie. Deux fois par semaine, on allait au cinéma Angelika voir des films sous-titrés, installés côte à côte dans la rangée du fond.

Peu après mon quinzième anniversaire – un âge déjà respectable –, maman m'a envoyé un texto pour me prier de passer à l'agence au lieu de rentrer directement à la maison. Rien de grave, m'assurait-elle, juste une information qu'elle voulait me communiquer de vive voix.

À mon arrivée, elle a commencé par m'offrir un café. Rien

d'extraordinaire jusque-là, même si j'en consommais rarement. Ensuite, elle m'a demandé si je me rappelais un certain Jésus Hernandez. Je m'en souvenais, en effet. Pendant deux ans, il avait été le coéquipier de Liz, et il nous était arrivé deux ou trois fois d'aller déjeuner chez lui. Ce n'était pas tout récent, mais on oublie difficilement un inspecteur d'un mètre quatre-vingt-quinze qui se prénomme Jésus (prononcé à l'espagnole).

– J'adorais ses dreads, elles étaient trop cool.

– Figure-toi qu'il m'a contactée pour m'annoncer que Liz avait perdu son boulot.

Leur rupture remontait à un certain temps, mais maman ne s'était pas tout à fait consolée.

– Liz a fini par se faire pincer alors qu'elle transportait de l'héroïne. Un beau paquet, d'après Jésus.

J'ai accusé le coup. Les derniers temps, Liz avait causé du tort à ma mère, et pour moi, c'était une plaie, mais j'ai quand même été touché. Je me revoyais me tordre de rire pendant qu'elle me chatouillait, ou blotti sur le canapé entre elle et maman, à lancer des vannes débiles sur les émissions de la télé ; je me rappelais aussi notre visite au zoo du Bronx, où elle m'avait acheté une barbe à papa plus grosse que ma tête. Et surtout, il y avait toutes ces vies humaines qu'elle avait sauvées, cinquante ou peut-être cent personnes qui auraient péri si la dernière bombe de Thumper avait explosé. Quelles qu'aient été ses motivations profondes, ces vies n'en avaient pas moins été épargnées.

L'expression « dix ans de prison », que j'avais surprise pendant leur dernière dispute, m'est revenue en mémoire.

– Dis-moi, Liz ne va pas finir derrière les barreaux ?

– Dans l'immédiat, non. Je sais par Jésus qu'elle a été libérée sous caution. Mais à terme... il y a de fortes chances que si, mon chéri.

– Oh merde !

J'imaginais Liz dans l'uniforme orange des détenues, comme dans la série Netflix que ma mère regardait de temps en temps.

Maman m'a pris la main.

– Ça va aller, Jamie.

54

Deux ou trois semaines après cette nouvelle, Liz a décidé de m'enlever. Vous me direz qu'elle l'avait déjà fait une fois, à cause de Therriault, mais au moins elle avait procédé en douceur. Là, c'était du sérieux. D'accord, elle ne m'a pas poussé dans sa voiture pendant que je me débattais en hurlant, mais elle m'a forcé quand même. Ce qui à mes yeux relève du kidnapping.

Cette année-là, je jouais au tennis, et je rentrais d'une des séances d'entraînement que notre coach appelait bêtement « mise en jambes ». Je me dirigeais vers l'arrêt de bus, mon cartable sur le dos et mon sac de sport à la main, quand j'ai remarqué une femme appuyée contre une Toyota déglinguée. Elle était penchée sur son portable, et je l'ai dépassée sans prêter vraiment attention à elle. Jamais je n'aurais soupçonné que cette personne pouvait être l'ex de ma mère. Une maigrichonne attifée d'un jean baggy, d'un sweat gris ultra-large et de santiags fatiguées, avec des cheveux d'un blond jaune qui flottaient sur le col de son duffle-coat. L'ex de ma mère était plutôt portée sur les pantalons cigarette de couleur sombre et sur les chemisiers en soie décolletés. L'ex de ma mère lissait ses cheveux en arrière et les attachait en queue-de-cheval. Et surtout, elle respirait la santé.

– Salut, champion. Alors, on dit même pas bonjour à sa vieille copine ?

Je me suis arrêté et quand je me suis retourné, je ne l'ai pas reconnue tout de suite. Son visage était pâle et creusé, son front parsemé de rougeurs qu'elle ne camouflait même pas sous du fond de teint. Et les courbes que j'admirais dans le temps – en toute innocence, je vous assure – avaient totalement fondu. Son sweat ample ne laissait deviner qu'une vague trace de la généreuse poitrine d'autrefois. À première vue, il m'a semblé qu'elle avait perdu vingt bons kilos, peut-être vingt-cinq, et pris vingt ans par la même occasion.

– Liz ?

– Elle-même, a-t-elle confirmé en souriant.

Son sourire n'a pas tardé à disparaître derrière sa main. En la voyant s'essuyer les narines, une idée m'a frappé. *La drogue. Elle est complètement défoncée.*

– Comment ça va ?

Ma question était mal choisie, mais je n'avais rien trouvé de mieux. Je me suis tenu à prudente distance, histoire de pouvoir lui échapper si elle tentait un truc louche. Ce qui me paraissait du domaine du possible, dans l'état où elle était. Liz n'avait pas du tout l'allure de ces acteurs qui jouaient les junkies à la télévision ; elle, elle ressemblait exactement aux vrais toxicos que je croisais de temps à autre, en train de somnoler sur un banc de jardin public, ou sous le porche d'un immeuble à l'abandon.

New York s'était nettement amélioré, mais ici ou là, les camés faisaient toujours partie du décor.

– Dis-moi, comment tu me trouves ? (Liz a éclaté d'un rire sinistre.) OK, tu peux te dispenser de répondre. Mais rappelle-toi, dans le temps, on a fait un exploit, tous les deux. J'aurais mérité davantage de reconnaissance, on a quand même sauvé des vies, merde !

J'ai repensé à tout ce que j'avais enduré par sa faute, et ça ne se limitait pas à Therriault : elle avait aussi fichu la pagaille dans la vie de ma mère. Elle nous avait attiré un tas d'ennuis, et voilà qu'elle refaisait surface, comme la queue du loup à chaque fois qu'on parle de lui.

– Non, tu ne la méritais pas *du tout*, cette reconnaissance. C'est moi qui l'ai obligé à parler. Et ça m'a coûté très cher. Tu n'imagines même pas.

– Éclaire-moi, alors. J'aimerais bien savoir ce que ça t'a coûté, champion. Quelques cauchemars où tu as vu son crâne explosé ? Puisqu'on parle de cauchemars, représente-toi un SUV calciné avec trois bouts de viande grillée à l'intérieur – dont un marmot dans son rehausseur. Et tu persistes à dire que ça t'a coûté cher ?

– Laisse tomber.

J'ai voulu tourner les talons, mais Liz s'est agrippée à la courroie de mon sac de sport.

– Hop, pas si vite. J'ai de nouveau besoin de toi, champion. Allez, en piste.

– Pas question, lâche mon sac.

Liz a tenu bon, et j'ai tiré dans l'autre sens. Elle était si menue qu'elle est tombée à genoux avec un léger cri en laissant échapper la courroie.

Un passant s'est arrêté et m'a décoché ce regard que les adultes réservent aux sales gosses.

– Hé, on ne traite pas les femmes comme ça.

– Allez vous faire foutre, lui a retourné Liz en se relevant. Je suis dans la police.

– Comme vous voudrez, a fait le type avant de s'éloigner sans un regard en arrière.

– Tu n'es plus dans la police, et j'irai nulle part avec toi. Fiche-moi la paix, j'ai même pas envie de t'adresser la parole.

Malgré tout, je m'en voulais un peu de l'avoir fait tomber. Je l'avais déjà vue à genoux, mais c'était pour jouer aux petites voitures avec moi, dans notre appartement. J'ai tâché de me convaincre que tout ça appartenait à une autre vie – peine perdue. Cette vie, c'était bien la mienne.

– Oh que si, tu vas venir. Sinon, le monde entier pourrait apprendre qui a écrit le dernier roman signé Regis Thomas. Le formidable succès qui a sauvé Tee de la faillite *in extremis*. Le fameux best-seller *posthume*.

– Tu ferais pas ça. (Une fois un peu remis du choc, j'ai rectifié :) Tu n'en as pas les moyens. Ce serait ta parole contre celle de maman. La parole d'une trafiquante de drogue. Et d'une junkie, en plus – il suffit de te regarder. Tu te figures que quelqu'un te croirait ? N'importe quoi !

Elle a repris son portable, qu'elle avait rangé dans la poche de son jean.

– Tia n'est pas la seule à avoir fait un enregistrement. Écoute plutôt ça.

J'en ai eu l'estomac retourné. C'était bien ma voix – ma voix d'enfant, mais indéniablement la mienne. Je racontais à maman que Purity découvrirait la clé qu'elle cherchait sous une souche d'arbre pourrie, au bord du chemin qui menait au lac de Roanoke.

Maman : Et comment elle la reconnaît, cette souche ?
Pause.
Moi : Martin Betancourt y a dessiné une croix à la craie.
Maman : Qu'est-ce qu'elle est censée en faire ?
Pause.
Moi : L'apporter à Hannah Royden. Ensuite, elles se rendent ensemble dans le marais et elles trouvent la grotte.
Maman : Et Hannah allume le Feu de la Vision ? Celui qui a failli lui valoir une pendaison pour sorcellerie ?
Pause.
Moi : Oui, c'est ça. Et il dit que George Threadgill les suit en douce. Et que George est turgescent quand il voit Hannah. Qu'est-ce que ça veut dire ?
Maman : Peu impor…
Liz s'est arrêtée là.

– J'en ai encore, tu sais. Pas la totalité, mais une bonne heure, facile. Il n'y a pas photo, champion. C'est bien toi en train d'exposer à ta mère l'intrigue du bouquin qu'elle a écrit elle-même. Toi, tu deviendrais une star, dans cette affaire. James Conklin l'enfant médium.

Je l'ai dévisagée, accablé.

– Pourquoi tu ne me l'as pas fait entendre plus tôt, ton enre-gistrement ? Le jour où on cherchait Therriault.

J'ai lu dans son regard qu'elle me trouvait vraiment idiot. Et sans doute que je ne l'avais pas volé.

– Ce n'était pas nécessaire. À l'époque, tu étais foncièrement un brave petit gars qui ne demandait qu'à coopérer. Mainte-nant que tu as quinze ans, tu es en âge d'être devenu un vrai chieur. En tant qu'ado, c'est peut-être ton droit, mais ce n'est pas l'objet du débat. Dans l'immédiat, il n'y a qu'une question qui m'intéresse : tu montes en voiture avec moi, ou je contacte un journaliste de ma connaissance pour lui offrir un scoop juteux, comme quoi un agent littéraire a contrefait le bouquin d'un auteur décédé grâce aux perceptions extrasensorielles de son fils ?

– Où est-ce que tu comptes m'emmener ?

– Surprise, champion. Tu verras bien.

Là, j'étais bel et bien coincé.

– C'est d'accord, mais à une condition. Tu arrêtes de m'ap-peler « champion », je suis pas ton cheval préféré.

– Entendu, champion. Ça va, je plaisante !

Je suis monté dans la voiture.

55

– Je peux savoir qui c'est, le mort à qui je dois parler aujourd'hui ? De toute façon, ça ne t'empêchera pas de finir en prison, peu importe qui il est et ce qu'il sait.

– Je n'ai aucune'intention d'aller en prison, tu vois. On y mange très mal, et on est en mauvaise compagnie.

On est passés devant un panneau qui indiquait le Cuomo Bridge (le « Tap » pour les New-Yorkais), et ça ne m'a pas plu du tout.

– Où on va, là ?

– À Renfield.

Je ne connaissais qu'un seul Renfield, le sbire gobeur de mouches du comte Dracula.

– Où ça se trouve ? Du côté de Tarrytown ?

– Pas du tout. C'est une petite ville au nord de New Platz. On en a pour deux ou trois heures, alors installe-toi bien et profite de la balade.

Je l'ai regardée d'un œil alarmé – horrifié, même.

– J'espère que c'est une blague ! Je suis attendu pour le dîner !

– À mon avis, Tia devra dîner dans un splendide isolement.

Liz a sorti d'une poche de son manteau un petit flacon rempli d'une poudre d'un blanc jaunâtre, le modèle avec mini-cuillère dorée fixée au bouchon. Elle l'a dévissé d'une seule main, puis a versé un peu de poudre sur le dessus de la main qui tenait le volant. Elle l'a aspirée par le nez avant de reboucher le flacon pour le ranger dans sa poche. Son adresse et sa rapidité dénotaient une longue habitude.

Mon expression l'a fait sourire, une lueur s'est allumée dans ses yeux.

– C'est la première fois que tu vois ça ? Jamie, tu as vraiment été surprotégé.

J'avais déjà vu des gamins fumer de l'herbe et j'avais essayé moi-même, mais les drogues dures, non, jamais. Quand on m'avait proposé de l'ecstasy pendant une soirée de l'école, j'avais refusé.

Liz s'est encore frotté le nez avec sa main. Pas joli à voir, ce geste.

– Je t'en offrirais avec plaisir, tu sais, je suis pour le partage. Sauf que celle-ci, c'est mon mélange spécial. Deux tiers de coke, un tiers d'héroïne, plus un soupçon de Fentanyl. J'ai développé une accoutumance, mais à toi, ça te fracasserait le cerveau.

Accoutumance ou pas, j'ai bien repéré l'instant où Liz décollait. Son corps s'est redressé, son débit s'est accéléré. Heureusement, elle n'a pas fait de zigzags sur la route, ni dépassé la vitesse autorisée.

– C'est la faute de ta mère, sache-le. Pendant des années, je me suis contentée de transporter la drogue d'un point A – le port de la 79ᵉ Rue ou l'aéroport Stuart, en général – jusqu'à un point B – n'importe où dans New York. Au début, c'était surtout de la cocaïne, mais l'OxyContin a changé la donne. Ce truc-là, ça te rend accro en un rien de temps. *Bang !* Quand les médecins ont cessé d'en prescrire, les toxicos se sont rabattus sur les dealers. Le prix a grimpé, et les gens se sont aperçus qu'ils se défonçaient aussi bien qu'avec la poussière d'ange, pour nettement moins cher. Beaucoup sont passés à l'Oxy, et justement, le type qu'on va voir en vendait.

– Le type mort, quoi.

Liz a froncé les sourcils.

– Évite de me couper la parole, lascar. Tu voulais savoir, alors je te raconte.

Dans mon souvenir, la seule chose que je voulais savoir concernait notre destination, mais je n'ai pas moufté. J'étais trop occupé à lutter contre la peur. Le point positif, c'est que Liz n'était pas une inconnue, mais elle avait tellement changé que ça ne me rassurait qu'à moitié.

– Ne jamais se défoncer avec sa propre came, c'est la règle numéro un. Le mantra. Mais quand Tia m'a larguée, j'ai commencé à y toucher un peu. Pas grand-chose, juste assez pour combattre la dépression. Et à force de piocher par-ci, par-là, j'ai fini par tomber dedans.

– Si maman t'a larguée, c'est parce que tu avais apporté de la drogue chez nous. La fautive, c'est toi.

J'aurais certainement mieux fait de me taire, mais c'était sorti tout seul. Qu'elle rende maman responsable de ce qu'elle était devenue, ça me mettait hors de moi. Quoi qu'il en soit, Liz n'a même pas relevé.

– Il y a un truc qu'il faut que tu saches, champ… Jamie : je ne me suis jamais piquée. (Elle avait dit ça sur un ton de défi.) Pas une seule fois. Tant que tu te limites à sniffer, il te reste des chances de décrocher un jour. Mais si tu commences à te shooter, autant dire que tu es fichu.

– Tu saignes du nez, là.

À peine un petit filet de sang entre le nez et la bouche.

– Ah oui ? Merci. (Elle s'est essuyée du revers de la main avant de se tourner vers moi.) C'est bon, il n'y a plus rien ?

– Ouais, occupe-toi plutôt de la route.

– Merci bien, copilote.

L'espace de quelques secondes, j'ai cru retrouver la Liz du passé. Pas de quoi me briser le cœur, mais j'ai quand même senti un léger pincement.

Elle a continué à rouler, la circulation était relativement fluide pour une après-midi de semaine. Mes pensées se sont portées vers ma mère. À cette heure-ci, elle n'était pas encore sortie du bureau, mais elle ne tarderait pas à rentrer à la maison. Dans un premier temps, elle ne s'inquiéterait pas trop. Ensuite, l'angoisse allait monter, et à la fin ce serait la grosse panique.

– Tu permets que j'appelle maman ? Juste pour lui assurer que tout va bien, je lui dirai pas où je suis.

– Mais oui, bien sûr. Vas-y.

À peine sorti de ma poche, mon portable s'est envolé. Liz l'avait raflé avec la vivacité du lézard gobant un insecte, et elle a ouvert la vitre pour le balancer sur la voie avant que j'aie le temps de dire ouf.

– Mon téléphone ! Non mais, ça va pas ?

– Tu es trop mignon de m'y avoir fait penser. J'avais totalement oublié. (Liz suivait les panneaux qui menaient à l'Interstate 87.) La dope, ça fait planer, y'a pas à dire.

Liz s'est mise à rire, et je lui ai envoyé un coup de poing dans l'épaule. La voiture a fait une embardée, mais elle s'est débrouillée pour la redresser à temps, s'attirant tout de même un coup de klaxon. Lorsqu'elle s'est tournée vers moi, il n'y avait plus trace de sourire. Je parie qu'elle faisait cette tête quand elle énonçait ses droits à un inculpé.

– Amuse-toi encore à me cogner, et je te latte les couilles assez fort pour te faire gerber. Ce ne sera pas la première fois que quelqu'un vomit dans cette bagnole.

– Tu comptes te battre tout en conduisant ?

De nouveau un petit sourire qui a à peine découvert ses dents.

– Chiche.

J'ai préféré abandonner, et je n'ai même pas appelé la créature qui habitait Kenneth Therriault (si jamais vous vous posez la question). En théorie, elle était sous mes ordres – je n'avais qu'à siffler, vous vous en souvenez –, mais je dois dire que ça ne m'est même pas venu à l'esprit. J'ai tout bonnement oublié, comme Liz avait oublié mon téléphone ; sauf que moi, je n'avais pas l'excuse de la drogue. Et quand bien même j'y aurais pensé, je ne me serais peut-être pas décidé. Qui sait si elle ne serait pas venue pour de bon ? Et ensuite… J'avais peur de Liz, c'est vrai, mais la lumière-morte me terrifiait encore plus. Le professeur m'avait averti : *la mort, la folie ou l'anéantissement de mon âme.*

— Réfléchis une seconde, lascar. Imagine que tu aies dit à Tia, « Tout va bien, je fais juste une virée avec ta vieille copine Liz Dutton ». Qu'est-ce qu'elle allait te répondre ? « Pas de souci, Jamie, demande-lui de t'acheter à manger. »

Je n'ai pas répliqué.

— Elle aurait prévenu les flics, c'est sûr, mais ce n'est pas le plus grave. J'ai eu tort de ne pas virer immédiatement ton portable. Elle peut le localiser.

Je n'en croyais pas mes oreilles.

— Mon œil !

Liz a hoché la tête avec un sourire, concentrée sur la route pendant qu'elle doublait un gros semi-remorque.

— Si. Ta mère a installé un système de géolocalisation sur ton premier mobile. Tu n'avais que dix ans, et c'est moi qui l'ai aidée à le camoufler. Si tu l'avais remarqué, ça t'aurait mis en rogne.

— Ce téléphone, ça faisait à peine deux ans que je l'avais.

Les larmes me brûlaient les yeux, bizarrement. Je me sentais… comment dire ? Le mot m'échappe, attendez un instant… Attaqué de tous côtés – voilà, c'est bien ça.

— Et tu t'imagines qu'elle n'a pas mis l'appli sur le nouveau ? (Liz a eu un rire méchant.) Tu rigoles ? Son seul fils, son petit prince ! Dans dix ans, elle te surveillera encore, même quand tu seras marié et que tu changeras les couches de ton premier marmot.

J'ai marmonné entre mes dents :

— Putain de menteuse !

Quand on a eu quitté l'agglomération, Liz a encore reniflé une dose de son mélange spécial. Ses gestes avaient toujours la même maîtrise, mais cette fois la voiture a fait un léger écart, et un nouveau coup de klaxon l'a rappelée à l'ordre. J'ai pensé qu'un flic pouvait nous repérer et, dans un premier temps, cette idée m'a réconforté : ce serait peut-être la fin du cauchemar. Quoique... Chargée comme elle l'était, Liz risquait de nous tuer tous les deux en essayant de semer la police. Ce qui m'a rappelé le bonhomme de Central Park. Grâce à la veste qui camouflait son visage, les passants n'avaient pas eu droit au pire, mais moi, je l'avais vu.

Liz a retrouvé un peu de bonne humeur.

— Tu sais, Jamie, tu ferais un enquêteur génial. Avec tes facultés exceptionnelles, tu deviendrais une star. Aucun assassin ne t'échapperait, puisque tu pourrais parler aux victimes.

L'idée m'avait déjà effleuré une fois ou deux. James Conklin, l'enquêteur des morts. Ou peut-être, l'enquêteur *auprès* des morts. Je ne m'étais pas encore décidé.

— Mais évite le NYPD, a poursuivi Liz. Ils peuvent toujours crever, ces connards. Bosse plutôt dans le privé. Tiens, je vois déjà ton nom sur la porte.

Elle a levé les deux mains du volant, comme pour dessiner la plaque à mon nom. Le coup de klaxon n'a pas tardé.

— Merde, fais gaffe à la route !

J'ai tenté de cacher mon inquiétude, mais je pense que j'étais bien trop stressé pour donner le change.

— Te bile pas pour moi, champion. Niveau conduite, j'ai quand même de beaux restes.

– Tu saignes encore du nez.

Elle s'est frotté les narines avant de s'essuyer la main sur son sweat. Apparemment, ce n'était pas la première fois.

– J'ai la cloison nasale bousillée. Dès que je serai clean, je la ferai réparer.

Le silence s'est installé pendant quelques minutes.

56

Quand on a été sur l'Interstate, Liz s'est encore envoyé une dose de son mélange spécial. Sûr qu'elle avait de quoi me ficher la trouille, mais à ce stade, j'étais au-delà de ça.

– Tu veux savoir ce qui nous a conduits jusqu'ici, toi et moi ? Holmes et Watson lancés dans une nouvelle aventure.

« Aventure » n'était sûrement pas le terme approprié, mais je n'ai pas fait de commentaire.

– À voir ta tête, c'est plutôt non. Pas grave. C'est une longue histoire, et elle ne présente pas un grand intérêt. Mais je vais quand même te dire deux ou trois trucs. Quand on est gamin, on ne rêve jamais de devenir clodo, doyen de la fac ou flic pourri. Ni de ramasser les ordures dans le comté de Westchester – le métier actuel de mon beau-frère.

Liz a rigolé, mais je ne voyais rien de si drôle dans le métier d'éboueur.

– Écoute la suite, il se peut que ça t'intéresse : j'ai souvent transporté de la drogue d'un point A à un point B, et on m'a payée pour le faire. Mais le paquet que ta mère a trouvé dans ma poche, c'était un extra, pour un de mes potes. L'ironie du sort, quand on y pense. À cette époque, l'Inspection générale m'avait déjà dans le collimateur. Ils manquaient encore de preuves, mais ils progressaient quand même. J'étais morte de trouille à l'idée que Tia puisse me balancer. C'était le bon moment pour abandonner, mais je ne pouvais plus. (Elle a hésité une seconde.) Ou alors, je n'ai pas voulu. Difficile à dire, avec le recul. Tiens, ça me rappelle un truc qu'a dit Chet Atkins. Tu vois de qui je parle ?

J'ai fait signe que non.

— Ah, c'est toujours les meilleurs qu'on oublie en premier. Tu regarderas sur Google quand tu seras rentré. C'est un excellent guitariste, du niveau de Clapton et Knopfler. Il a avoué qu'il était nul pour accorder son instrument, mais que le jour où il s'en était aperçu, il gagnait déjà trop d'argent pour arrêter. Il m'est arrivé la même chose avec mon boulot de transporteur. Et puisqu'on va encore rouler un moment, je vais te raconter autre chose : tu t'imagines que ta mère a été la seule à ramer quand l'économie s'est effondrée, en 2008 ? Détrompe-toi. Je m'étais fait mon petit portefeuille d'actions, moi aussi – trois fois rien, mais c'était déjà ça. Et tout est parti en fumée.

Liz a doublé un autre semi-remorque, en prenant bien soin de mettre le clignotant pour déboîter et revenir dans la file. Avec la quantité de drogue qu'elle avait dans le système, j'ai été sidéré qu'elle réussisse la manœuvre. Sidéré et reconnaissant, aussi. Je n'avais aucune envie d'être avec elle, mais ç'aurait été bien plus moche de mourir en sa compagnie.

— Mais l'élément décisif, ç'a été ma sœur Bess. Le mec qu'elle avait épousé travaillait pour une grosse société d'investissement. Bear Stearns. Je suppose que ça ne t'évoque rien non plus ?

Je n'ai pas su quoi répondre.

– Mon beau-frère, Danny Miller – celui qui s'est reconverti dans le ramassage des ordures – est entré chez Bear peu après son mariage. Il a commencé modestement, mais il avait de belles perspectives devant lui. L'avenir était tellement radieux qu'il aurait eu besoin de lunettes de soleil, pour citer le chanteur de Timbuk 3. Là-dessus, ils ont acheté une maison à Tuckahoe Village. Ils ont fait un gros emprunt, mais tout le monde – y compris moi, pauvre andouille – leur a affirmé que leur bien prendrait forcément de la valeur. Qu'il suivrait le mouvement des marchés financiers. Ils ont engagé une fille au pair pour leur gamine et intégré le country-club local. Est-ce qu'ils ont vu trop grand ? Oh que oui ! Est-ce que Bessie avait de quoi regarder de haut mes malheureux soixante-dix mille dollars de revenus ? Affirmatif. Tu sais ce que mon père disait toujours ?

Comment veux-tu que je le sache ?

– Que si on veut courir plus vite que son ombre, on finit par mordre la poussière. Danny et Bess projetaient de faire installer une piscine quand tout s'est écroulé. Bear Stearns était spécialiste des garanties hypothécaires et, du jour au lendemain, leurs avoirs se sont changés en vulgaires bouts de papier.

Alors qu'elle cogitait là-dessus, on a croisé un panneau indicateur. NEW PLATZ 59 POUGHKEEPSIE 70 RENFIELD 78. D'ici une heure et quelque, nous atteindrions notre destination finale. J'en ai eu la chair de poule : *Destination finale* était le titre d'un film ultra-violent que j'avais vu avec des copains. Pas aussi sanglant que la série *Saw*, mais quand même noir de chez noir.

— Bear Stearns. La bonne blague ! En l'espace de huit jours, des actions qui tournaient autour des cent soixante-dix dollars n'en valaient plus que dix. J.P. Morgan Chase a recollé les morceaux, mais d'autres compagnies ont foncé droit dans le mur. Les gros poissons s'en sont tirés, comme toujours. Mais le commun des mortels s'en est beaucoup moins bien sorti. Regarde les vidéos sur YouTube, Jamie, tu verras des gens quitter leurs jolis bureaux en ville avec toute leur carrière dans une boîte en carton. Mon beau-frère en fait partie. Six mois après avoir obtenu sa carte du country-club de Green Hills, il conduisait un camion-poubelle Greenwise. Et encore, il a eu de la chance. Quant à leur maison, elle était plombée. Tu vois ce que je veux dire ?

Il se trouve que je le savais.

— Ils devaient plus d'argent que ce que valait leur bien.

— Vingt sur vingt, Jamie. Viens t'asseoir au premier rang. Cette maison, c'était tout ce qu'ils possédaient, et le seul endroit où ils pouvaient se mettre à l'abri avec leur petite Francine. Certains amis de Bess étaient obligés de dormir dans leur camping-car. À ton avis, qui a aligné le fric pour qu'ils puissent rembourser l'emprunt de leur grande baraque invendable ?

— Je suppose que c'est toi.

— Gagné. Et Bess n'était plus d'humeur à débiner mon salaire, tu peux me croire. Évidemment, je n'ai pas pu payer avec mes revenus de flic, même en grattant un maximum d'heures sup. Et j'ai eu beau décrocher deux temps partiels à la sécurité, dans des boîtes de nuit, ça ne suffisait pas non plus. Mais j'ai connu des gens dans les clubs, je me suis constitué un réseau et on m'a proposé des plans. Certains secteurs résistent à toutes les crises, tu vois. Les pompes funèbres, par exemple, ou les sociétés spécialisées dans les contrats de rachat et les garanties de caution. Tu as aussi les marchands d'alcool. Et le trafic de drogue. Bonne période ou mauvaise passe, les gens ont toujours envie de prendre leur pied. Et puis, j'apprécie les jolies choses, c'est vrai, je n'ai pas honte de le reconnaître. Elles me font du bien au moral, et j'avais aussi l'impression de les mériter. Après tout, c'était moi qui assurais un toit à ma sœur et à sa petite famille, alors qu'elle m'avait snobé pendant des années. Sous prétexte qu'elle était plus belle et plus intelligente que moi, et qu'elle avait étudié dans une fac plus cotée que mon université publique. (Elle a conclu d'un ton hargneux :) En plus, elle était *hétéro*, bien entendu.

– Qu'est-ce qui t'est arrivé ? Comment ça se fait que tu aies perdu ton boulot ?

– L'Inspection générale m'a coincée avec une analyse d'urine, j'ai été prise au dépourvu. Ils étaient déjà au courant, mais après mon intervention dans l'affaire Therriault, ils ne pouvaient pas m'éjecter du jour au lendemain. Ça aurait fait mauvais effet. Ils ont été plus fins que ça, ils ont décidé d'attendre. Et le jour où ils m'ont piégée – ils le croyaient, en tout cas –, ils ont essayé de me retourner. Ils voulaient me faire porter un micro, genre *Serpico* et compagnie, tu sais. Mais je vais te citer un autre dicton, et celui-là ne vient pas de mon père : *Il arrive malheur aux cafardeurs*. Ils ne le savaient pas, mais j'avais encore un atout en réserve.

— C'était quoi, ton atout ?

Ça peut vous sembler idiot, mais ma question était sincère.

— Toi, Jamie. C'est toi, mon atout. Après l'affaire Therriault, j'ai toujours pensé que je trouverais l'occasion de m'en servir.

57

On a traversé le centre de Renfield. À en juger par la quantité de bars, de fast-foods et de librairies dans la rue principale, la population étudiante devait être très élevée. À la sortie de la ville, la route partait vers l'ouest et montait doucement vers les Catskills. Au bout de sept ou huit kilomètres, nous sommes tombés sur une aire de repos qui surplombait la rivière Wallkill. Liz s'est arrêtée sur le parking et a coupé le moteur. À part nous, il n'y avait personne. Elle a sorti son flacon de « mélange spécial », puis l'a rangé sans l'ouvrir. Quand elle a bougé, j'ai aperçu sous son manteau son sweat-shirt constellé de taches de sang. J'ai pensé alors à sa cloison nasale détruite, et l'idée que cette poudre lui rongeait littéralement le corps m'a paru bien plus affreuse que tous les films d'horreur du monde. Parce que ça, c'était bien réel.

– Il faut que je t'explique ce que tu fiches ici, lascar. Tu dois savoir à quoi t'attendre, et ce que moi, j'attends de toi. Je serais surprise qu'on se quitte bons amis, mais il est possible qu'on ne se sépare pas en trop mauvais termes.

Là-dessus, j'étais plus que sceptique, mais je me suis bien gardé de donner mon avis.

– Si tu veux comprendre comment fonctionne le trafic des stups, regarde *The Wire* à la télé. La série se passe à Baltimore, pas à New York, mais le business n'est pas tellement différent d'un endroit à l'autre. C'est une structure pyramidale, comme toutes les organisations qui brassent beaucoup d'argent. Tout en bas, tu as les petits dealers des rues, et quand je dis « petit », ça renvoie aussi à leur âge. La plupart sont mineurs, et quand ils se font serrer, ils passent devant un juge pour enfants. On les relâche immédiatement, et ils retournent charbonner aussi sec. Au cran du dessus, tu trouves les fournisseurs plus importants, ceux qui approvisionnent les boîtes de nuit, par exemple – c'est là qu'on m'a recrutée. Et les moyennes pointures qui se font du fric en achetant de grosses quantités.

Liz s'est remise à rire et, là non plus, je n'ai pas saisi ce qu'il y avait de drôle.

– Plus haut sur l'échelle, tu vas avoir les grossistes, les lieutenants qui veillent au bon déroulement des affaires, et les avocats. Et enfin, tu as les gros bonnets à la tête du réseau. Le système est parfaitement cloisonné – en tout cas, tout est calculé dans ce sens. Les mecs à la base n'ont affaire qu'avec le cran du dessus, pas plus. Ceux qui se situent au milieu connaissent tout le monde aux échelons du dessous, mais uniquement leur supérieur direct. Moi, j'étais un peu à part. À l'extérieur de la pyramide. Hors de la hiérarchie, pour ainsi dire.

– Parce que tu étais transporteuse. Comme dans le film avec Jason Statham.

– C'est à peu près ça, oui. Normalement, un transporteur n'a que deux contacts : la personne qui lui confie la drogue au point

A, et celle qui la réceptionne au point B. Au point B, tu traites avec les grossistes qui assurent la distribution à tous les niveaux du système, jusqu'à sa destination finale – les consommateurs.

Destination finale. Encore ces mots.

– En tant que flic – un flic pourri mais un flic malgré tout –, je fais spécialement gaffe, tu comprends ? J'évite de me montrer trop curieuse pour ne pas me mettre en danger, mais j'ai toujours une oreille qui traîne. En plus, j'ai accès… enfin, j'*avais* accès aux bases de données du NYPD et à celles de la DEA, qui lutte contre le trafic de drogue. Avec ça, c'était assez simple de remonter la piste jusqu'au sommet de la pyramide. Pour la zone New York-Nouvelle-Angleterre, tu as une douzaine de gars qui importent trois types de produits, essentiellement ; celui pour qui je bossais vit ici, à Renfield. Il y *vivait*, disons. Il s'appelle Donald Marsden, et sur ses documents fiscaux, il se déclare *promoteur immobilier*, actuellement *retraité*. Retraité, c'est un faible mot.

En entendant tout ça, je me suis senti replonger en pleine affaire Therriault.

– Les gosses pigent vite, c'est génial. Tu permets que je fume une clope ? Ça m'embêterait de me refaire un rail avant qu'on ait réglé cette affaire. Mais après, je te jure que je m'éclate. Ça va déchirer un max.

Elle a allumé une cigarette sans attendre ma réponse. Au moins, elle a baissé la vitre pour évacuer la fumée. Pas toute, mais une bonne partie.

– Donnie Marsden était connu de ses collègues, ou de son *équipe*, sous le nom de Donnie Bigs. Et c'était amplement mérité.

Ce mec était un vrai gros lard, tant pis pour le politiquement correct. Deux cents kilos de bidoche, au bas mot. Il cherchait les problèmes, et il a fini par les trouver. Hier, il a fait une hémorragie cérébrale. Il s'est explosé la cervelle, et il n'a même pas eu besoin d'un flingue.

Liz a aspiré une longue bouffée de tabac avant de rejeter la fumée au-dehors. La lumière était toujours vive, mais les ombres commençaient déjà à s'allonger. Le soleil n'allait pas tarder à décliner.

– Une semaine avant son attaque, j'ai appris par deux de mes anciens contacts – deux mecs du point B avec qui j'étais restée en bons termes – que Donnie attendait une livraison en provenance de Chine. Un stock *colossal*, à les entendre. Pas de la poudre, des pilules. De l'OxyContin de contrefaçon. Donnie Bigs devait en revendre directement une bonne partie. Une espèce de bonus, je suppose. Rien n'est clair, vu qu'il n'existe pas vraiment de sommet de la pyramide. Même le chef a encore plusieurs chefs au-dessus de lui.

Ça m'a rappelé une comptine que ma mère et son frère chantonnaient de temps en temps. Elle datait probablement de leur enfance, et oncle Harry s'en souvenait toujours alors que toutes les choses importantes s'étaient déjà effacées. Elle disait à peu près ceci : *La grosse bête a plein de petites bêtes qui lui sucent le sang, les petites bêtes ont plein de petites bestioles qui leur sucent le sang et ainsi de suite...* J'envisageais de l'apprendre un jour à mes gamins – à condition que je vive jusque-là.

– Des pilules, Jamie. Des *pilules !* (Son air euphorique m'a filé les jetons.) Faciles à transporter, et encore plus faciles à revendre ! *Colossal,* ça peut nous mener dans les trois ou quatre mille. Voire dix mille dollars. D'après Rico, mon pote du point B, ce sont des 40's. Tu sais combien ça va chercher, au détail ? Laisse tomber, t'as aucune raison de le savoir. Ça va chercher dans les quatre-vingts dollars la pilule. Et je peux les transporter dans une valise, pas la peine de s'emmerder à charrier de l'héro dans des gros sacs poubelles.

Elle a regardé une volute de fumée s'échapper de sa bouche et flotter vers la glissière de sécurité. Un panneau indiquait : RESTEZ LOIN DU BORD.

– On va mettre la main sur ces pilules, Jamie. Découvrir où il les a planquées. Mes deux potes m'ont demandé de les rencarder si j'arrivais à dégoter le lot. J'ai fait semblant d'être d'accord, évidemment, mais ce coup-là, je compte le jouer solo. Tu vois, je sais même pas s'ils y seront, les dix mille. Si ça se trouve, c'est à peine du huit mille. Ou même huit cents, va savoir.

Elle a incliné la tête puis l'a secouée d'un côté et de l'autre, comme si elle débattait avec elle-même.

– Je table sur deux mille, au minimum. Moins, ce n'est pas crédible. La prime de Donnie, pour le remercier d'avoir approvisionné la clientèle new-yorkaise. Si je commence à partager, il me restera trois fois rien. Du trafic de fourmi, ils appellent ça. Est-ce que j'ai une tête de fourmi, franchement ? OK, j'ai un petit problème d'addiction, et après ? Tu as une idée de mes plans, Jamie ?

J'ai fait non de la tête.

– Je vais me tirer sur la côte Ouest. Me volatiliser, tout simplement. Changer de look et de couleur de cheveux. Nouvelle personnalité. Là-bas, je trouverai des gens pour négocier l'Oxy. Pas forcément à quatre-vingts dollars le cacheton, mais ça devrait me rapporter pas mal. L'OxyContin est toujours hyper-coté, et le matos chinois vaut bien l'original. Ensuite, je me paie une nouvelle identité pour aller avec le nouveau look et la nouvelle coiffure. Je me trouve une place en désintox, et dès que je suis clean, je cherche un boulot. De préférence un truc qui rachète un peu mon passé. Les catholiques appellent ça l'« expiation ».

C'est ça, on peut toujours rêver.

Son sourire enjoué s'est figé sur ses lèvres, mes doutes avaient dû transparaître.

– Tu n'y crois pas ? Tant pis. Tu verras bien.

– J'ai pas envie de voir quoi que ce soit, j'aimerais juste que tu me lâches.

Quand elle a levé la main, je me suis tassé dans mon siège de peur de prendre une gifle, mais Liz s'est seulement essuyé le nez en soupirant.

– Honnêtement, je ne peux pas tellement t'en vouloir. Bon, on va concrétiser tout ça, alors. On est presque arrivés. Sa maison est très isolée, tout au bout de Renfield Road. Toi, tu vas l'interroger sur l'emplacement du stock. Je pencherais pour son coffre-fort personnel. Si c'est bien le cas, tu te feras donner la combinaison. Il sera obligé de te répondre, les morts ne peuvent pas raconter de mensonges.

– Je n'ai aucune certitude, tu sais. (Un bobard qui prouvait que j'étais toujours vivant.) Je n'en ai pas interrogé des centaines. La plupart du temps, je ne leur adresse même pas la parole. Ils sont morts, je n'ai aucune raison de vouloir leur parler.

– Therriault n'avait aucune envie de répondre, et pourtant il t'a avoué où était la bombe.

Ça, je ne pouvais pas le nier, mais il y avait une autre éventualité.

– Suppose que le type ne soit pas là-bas. Qu'il soit plutôt au même endroit que son corps. Je sais pas, moi, il peut aussi être allé voir papa et maman en Floride. Une fois qu'ils sont morts, peut-être qu'ils peuvent se téléporter où ils veulent.

J'espérais la déstabiliser, mais ça ne marchait pas tellement.

– Thomas était bien à son domicile, rappelle-toi.

– D'accord, mais ce n'est pas forcément vrai pour tous.

– Je parie que Marsden sera chez lui. (Liz semblait très confiante, elle ne comprenait pas que les morts pouvaient se montrer imprévisibles.) Allez, on fonce. Après ça, j'exaucerai ton vœu le plus cher : tu ne verras jamais plus ma tête.

Elle avait pris un air désolé, comme si j'étais censé compatir. Mais je n'éprouvais aucune peine pour elle, Liz ne m'inspirait plus que de la peur.

58

La route qui conduisait chez Marsden formait une interminable succession de lacets. Les maisons qui ponctuaient la voie,
avec leurs boîtes aux lettres plantées en bord de route, devenaient plus clairsemées à mesure qu'on montait. Les arbres de
plus en plus serrés répandaient une ombre épaisse qui donnait
une impression de crépuscule.

— À ton avis, il en existe combien ? m'a demandé Liz.

— Quoi ?

— Des gens comme toi. Qui peuvent voir les morts.

— Comment tu veux que je le sache ?

— Tu n'en as jamais rencontré, par hasard ?

— Non, mais c'est pas le premier truc que tu demandes pour
engager la conversation. Genre : « Alors, tu vois les morts, toi ? »

— Pas terrible, tu as raison. En tout cas, ce n'est pas ta mère
qui te l'a transmis. (On aurait cru qu'elle parlait de la couleur
de mes yeux ou de mes cheveux bouclés.) Ton père, éventuellement ?

— Je sais même pas qui c'est. Ni s'il vit toujours ou quoi que
ce soit.

Évoquer mon père me mettait mal à l'aise, sûrement parce que ma mère refusait d'aborder le sujet.

– Tu n'as jamais posé de questions ?

– Bien sûr que si. Mais elle ne veut jamais me répondre. Et à toi, est-ce qu'elle t'a déjà parlé de ça… enfin, de lui ?

– J'ai eu droit au même traitement que toi. Autant s'adresser à un mur. Tee ne réagit pas comme ça, d'habitude.

Les virages devenaient plus serrés. Loin en contrebas, les eaux de la Wallkill scintillaient sous le soleil de fin d'après-midi. Il était peut-être un peu plus tard que je ne le pensais – ma montre était restée sur ma table de nuit, et la pendulette du tableau de bord devait être HS, puisqu'elle indiquait 8 heures 15. Plus on avançait, plus la route était en mauvais état, semée de nids-de-poule et de plaques de goudron effrité qui faisaient cahoter la voiture.

– Peut-être qu'elle avait picolé et qu'elle ne se souvient de rien, a suggéré Liz. Ou alors, elle s'est fait violer.

J'ai eu un haut-le-corps, aucune de ces deux hypothèses ne m'avait traversé l'esprit jusque-là.

– Ne prends pas cet air choqué, ce ne sont que des suppositions. En plus, tu es assez grand pour accepter de réfléchir à ce qu'a pu subir ta maman.

Je n'allais pas la contredire ouvertement, mais le fond de ma pensée, c'est qu'elle racontait de belles conneries. Peu importe l'âge qu'on a, je doute qu'on ait envie de se dire que sa mère bourrée a pu coucher avec un inconnu à l'arrière d'une voiture, ou qu'un homme l'a violée après l'avoir traînée dans une ruelle sombre. Et qu'on est peut-être le fruit de ce genre d'événement.

Le fait que Liz ne soit pas d'accord m'éclairait suffisamment sur ce qu'elle était devenue. À moins qu'elle n'ait été ainsi depuis le début...

– Cette faculté te vient peut-être de ton cher papa. Dommage qu'on ne puisse pas l'interroger.

Si je venais à croiser mon père, je ne commencerais pas par lui poser des questions : je lui flanquerais plutôt un direct dans la mâchoire.

– D'un autre côté, il se peut qu'il n'y ait pas d'explication. Je me souviens d'une famille de voisins, dans la petite ville du New Jersey où j'ai grandi. Les Jones. Un couple avec cinq gosses qui vivaient dans une petite caravane déglinguée. Les parents étaient limite demeurés, et quatre de leurs gamins aussi. Mais le cinquième, c'était un putain de génie. À six ans, il a appris la guitare tout seul, il a sauté deux classes et il est entré au lycée à douze ans. Tu comprends ça, toi ? Dis-moi.

– Mrs Jones avait peut-être couché avec le facteur ?

J'avais entendu cette blague à l'école, et Liz a bien rigolé.

– Tu es un vrai comique, Jamie. Je regrette qu'on soit fâchés.

– Tu n'avais qu'à te comporter autrement.

59

La route goudronnée s'est arrêtée brusquement, mais le chemin de terre qui lui succédait était moins accidenté, avec une surface lisse et tassée. Une grande pancarte orange signalait VOIE PRIVÉE ACCÈS INTERDIT.

– Qu'est-ce qu'on fait s'il y a du monde sur place ? Des gardes du corps ?

– Tu sais, il n'y a plus qu'un cadavre à surveiller, maintenant. En plus, il a été transporté ailleurs. Il y avait un vigile à l'entrée, mais je pense qu'il est parti aussi. À part lui, il n'employait qu'un gardien et un jardinier. Si tu t'attendais à trouver des porte-flingue avec costard sombre et lunettes noires autour du parrain, tu tombes mal. On n'est pas dans un film d'action. Le vigile était le seul à être armé, et, à supposer qu'il soit toujours là, il me connaît.

– Et la femme de Mr Marsden ?

– Il n'en a pas. Ça fait cinq ans qu'elle est partie. (Liz a claqué des doigts.) Disparue, évaporée. Pffuit…

Liz a pris un nouveau tournant. Une montagne hérissée de sapins se découpait face à nous, masquant le ciel à l'ouest.

Quelques vestiges de lumière tombaient par un goulet, mais il ferait bientôt sombre. Un portail à barreaux métalliques se dressait devant nous. Fermé. D'un côté, un interphone avec digicode. De l'autre, le petit pavillon que devait occuper le gardien.

Liz a coupé le contact et mis les clés dans sa poche.

– Ne bouge pas, Jamie. J'en ai pour cinq secondes.

Les joues empourprées et les yeux brillants, elle a essuyé le filet de sang qui coulait de son nez avant de sortir de voiture. Comme elle avait remonté les vitres, je n'ai pas saisi ce qu'elle racontait dans l'interphone. Quand elle s'est approchée de la maisonnette, elle a haussé la voix et j'ai tout entendu :

– Teddy, tu es là ? C'est moi, Liz. Je te saluerais avec plaisir, mais je ne te vois nulle part !

Pas de réponse. Personne ne s'est montré, et Liz est revenue côté interphone, tirant de sa poche un bout de papier qu'elle a parcouru des yeux. Elle a tapé une série de chiffres sur le clavier, et la lourde grille a commencé à s'ouvrir. Liz m'a rejoint dans la voiture, tout sourire.

– Jamie, j'ai comme l'impression qu'on est seuls sur les lieux.

Elle a franchi l'entrée, s'engageant sur l'allée goudronnée aussi lisse qu'une plaque de verre. Lorsqu'elle a pris un nouveau tournant, des lampadaires électriques en forme de flambeaux se sont allumés de chaque côté. Je crois que ça s'appelle des torches, ou plutôt des torchères. Les torches, c'est ce que brandit la foule dans les vieilles adaptations de *Frankenstein*, au moment d'attaquer le château.

– Trop beau.

– Ouais. Vise un peu cette putain de baraque !

Au débouché du virage, la maison de Marsden est apparue devant nous. Une énorme bâtisse perchée sur une hauteur, comme ces manoirs de Hollywood Hills qu'on voit parfois au cinéma. La façade visible était intégralement en verre. J'imaginais Marsden admirer le soleil levant en dégustant son café du matin. La vue devait s'étendre jusqu'à Poughkeepsie, peut-être même au-delà. Et après ? Ce n'était jamais que Poughkeepsie, pas de quoi fouetter un chat.

– Une maison bâtie sur la poudre, a commenté Liz d'un ton agressif. Tous les équipements de luxe, plus une Mercedes et une Boxster au garage. Tout ça grâce à la poudre qui m'a fait perdre mon boulot.

J'ai eu envie de lui répondre « Tu n'étais pas obligée », comme me le disait maman quand je faisais une boulette, mais j'ai jugé plus prudent de la fermer : Liz était aussi chargée qu'une bombe de Thumper, et je ne voulais surtout pas déclencher l'explosion.

Encore un virage, et on a débouché sur l'esplanade pavée qui bordait la maison. Quand Liz a eu contourné le bâtiment, j'ai aperçu quelqu'un devant le double garage où Marsden rangeait ses voitures de collection. (Elles y étaient sûrement, Donnie Bigs n'avait pas dû partir à la morgue dans sa Boxster.) J'ai pensé aussitôt à Teddy, le gardien – l'homme était bien trop mince pour qu'il puisse s'agir de Marsden. J'allais le signaler à Liz, quand j'ai constaté que le type n'avait plus de bouche.

J'ai désigné le garage et le bonhomme qui se tenait devant en m'efforçant de rester naturel.

– Elle est là-dedans, la Boxster ?

Liz a jeté un bref regard de côté.

– Oui, mais ne compte pas sur une virée en voiture, ni même sur un petit coup d'œil. Le business n'attend pas.

Ainsi, elle ne le voyait pas – j'étais le seul à le voir. Et, d'après le trou cramoisi qui remplaçait sa bouche, il n'était pas mort de mort naturelle.

Ceci est une histoire d'épouvante, je vous avais prévenus.

60

Liz est sortie de voiture, mais moi je n'ai pas bougé, les deux pieds plantés dans un fouillis d'emballages de fast-food. Elle m'a rappelé à l'ordre.

– Amène-toi, Jamie. Tu as un boulot à faire, et ensuite je te rends ta liberté.

J'ai obéi, et je l'ai suivie jusqu'à la porte d'entrée. Tout en marchant derrière elle, j'ai coulé un regard vers le type devant le garage. Il faut croire qu'il l'a remarqué, puisqu'il m'a adressé un petit signe de la main. Après m'être assuré que Liz ne me surveillait pas, je lui ai rendu son salut.

Une volée de marches en granit menait à une lourde porte en bois, avec un heurtoir en forme de tête de lion. Liz n'a pas pris la peine de frapper, elle a simplement consulté son bout de papier avant d'entrer le code sur le clavier du digicode. Le voyant rouge est passé au vert et la serrure s'est débloquée avec un claquement sourd.

Marsden avait confié les codes de chez lui à un transporteur de base ? Je n'y croyais pas une seconde, et logiquement, celui qui avait renseigné Liz sur le stock de pilules ne l'avait pas non plus en sa possession. Le fait qu'elle le connaisse n'augurait rien de bon et, pour la première fois, j'ai pensé à Therriault... ou à la chose qui habitait ses restes. Cette chose, je l'avais vaincue au cours du rituel de Chüd, et elle viendrait peut-être à moi si je l'appelais, à condition qu'elle respecte l'accord qu'on avait conclu. Ce qui restait encore à prouver. De toute manière, elle était si terrifiante que je n'aurais recours à elle qu'en cas d'extrême nécessité.

– Allez, entre.

Liz a rangé le papier dans la poche de son jean, avant d'enfouir une main dans celle de son duffle-coat. J'ai jeté un dernier coup d'œil à l'homme devant le garage – le dénommé Teddy, selon toute vraisemblance. En regardant le trou sanguinolent qui remplaçait sa bouche, j'ai fait le lien avec les taches rouges sur le sweat-shirt de Liz. Elles provenaient peut-être de ses saignements de nez, mais pas forcément.

– Je t'ai demandé d'entrer. Ce n'était pas une suggestion.

J'ai poussé la porte. Pas de hall d'entrée, on accédait directement à l'immense pièce principale. Au centre, il y avait une sorte de fosse équipée de fauteuils et de canapés intégrés – j'ai su après qu'on appelait ça un « salon encaissé ». Au-dessus et tout autour, des sièges luxueux, pour que d'éventuels spectateurs puissent suivre les débats, je suppose. J'ai aussi remarqué un bar – sur roulettes, m'a-t-il semblé – et des machins accrochés aux murs. Je dis des « machins » parce que je n'y voyais rien d'artistique, juste une série de gribouillages et d'éclaboussures, mais puisque Marsden les avait encadrés, il les considérait sans doute comme des œuvres d'art. Le lustre qui dominait le salon encaissé devait peser dans les deux cents kilos, et pour rien au monde je ne me serais assis au-dessous. À l'autre bout de la pièce, au-delà de la fosse, se trouvait un double escalier plongeant. On en voyait des semblables au cinéma, mais dans la vraie vie, le seul qui s'en approchait vaguement était celui de l'Apple Store sur la 5e Avenue.

– Sacrée baraque, hein ?

Liz a claqué la porte, puis elle a actionné d'un seul coup toute la rangée d'interrupteurs, en frappant le panneau du tranchant de la main. Des torchères se sont allumées en même temps que le grand lustre central. Magnifique, mais je ne me sentais pas d'humeur à apprécier la qualité de l'éclairage. J'étais de plus en plus convaincu que Liz était déjà passée par ici, et qu'elle avait abattu Teddy avant de venir me chercher.

Si elle ignore que je l'ai vu, elle n'aura pas besoin de me tuer. Ma réflexion ne manquait pas de logique, mais le bon sens ne suffirait peut-être pas à me sortir de là. Liz était raide défoncée, j'avais l'impression de la sentir vibrer. J'ai pensé de nouveau aux bombes de Thumper.

– Tu ne m'as pas posé la question, lui ai-je fait remarquer.

– Laquelle ?

– Est-ce qu'il est ici ou pas.

– Eh bien, je te la pose, alors.

Il m'a semblé qu'elle me le demandait pour la forme, sans que ça l'affecte outre mesure. Qu'est-ce que ça pouvait bien cacher ?

– Non, je le vois pas.

Cette réponse ne l'a pas spécialement perturbée – elle avait réagi très différemment le jour où on cherchait Therriault.

— Bon, on va monter à l'étage. Il est peut-être dans sa suite, en train de se remémorer le bon temps qu'il s'est payé à baiser ses putes. Un vrai défilé, depuis que Madeleine est partie. Et avant aussi, je présume.

— J'ai pas envie d'y aller.

— Pourquoi ça ? Enfin, Jamie, on n'est pas dans une maison *hantée*.

— S'il est bien là-haut, on peut dire que si.

Elle a réfléchi un instant avant de se mettre à rire. Sa main était toujours dans la poche de son duffle-coat.

— Ce n'est pas faux, je te l'accorde, mais justement, c'est lui qu'on cherche. Allez, monte. *Andale.*

J'ai désigné le couloir qui partait de la grande pièce, sur la droite.

— Peut-être qu'il est dans la cuisine.

— En train de s'enfiler son quatre-heures ? Ça me surprendrait beaucoup. À mon avis, il est là-haut. Dépêche-toi.

J'ai envisagé de protester, ou même de refuser catégoriquement, mais alors sa main risquait de jaillir de sa poche, et je devinais déjà ce qu'il y aurait au bout. J'ai donc pris l'escalier du côté droit. La rampe verte, en verre fumé, était fraîche et lisse sous mes doigts. Les marches étaient en pierre verte. J'en ai compté quarante-sept en tout, et je dirais que chacune valait bien le prix d'une Kia.

En haut de la volée de marches, un miroir à cadre doré qui devait mesurer deux bons mètres de haut. Un miroir identique lui faisait face. À mesure que je montais, mon reflet se dessinait dans la glace, avec Liz qui me suivait en lorgnant par-dessus mon épaule.

– Ton nez, Liz.

– C'est bon, j'ai vu.

Elle saignait maintenant des deux narines, et elle a encore essuyé sa main sur son sweat.

– C'est le stress qui me provoque ça. À cause des capillaires fragilisés. La tension va retomber dès qu'on aura trouvé Marsden, et qu'on saura où il cache les pilules.

Est-ce que tu as saigné quand tu as abattu Teddy ? Dis-moi, Liz, ç'a été un gros coup de stress ?

L'escalier s'achevait sur une galerie circulaire qui m'a rappelé le *catwalk* des défilés de mode, protégée par une rambarde d'un mètre de haut. En regardant en bas, j'ai eu une crampe à l'estomac. Si on basculait par-dessus – ou si quelqu'un vous poussait –, on atterrissait droit dans le salon encaissé, et le tapis bariolé qui couvrait le carrelage ne risquait pas d'amortir la chute.

– À gauche, Jamie.

On s'éloignait de la galerie, ce qui n'était pas plus mal. On a pris un long couloir avec une série de portes sur le côté gauche – uniquement des pièces avec vue, logiquement. Toutes fermées, sauf une. Elle ouvrait sur une bibliothèque circulaire aux rayonnages bourrés de livres. De quoi plonger ma mère dans le ravissement. Un canapé et plusieurs fauteuils étaient disposés devant une immense baie arrondie qui surplombait un paysage baigné par les teintes violettes du crépuscule. Au loin, je distinguais l'essaim de lumières de la ville de Renfield, et j'aurais donné n'importe quoi pour me transporter là-bas.

Liz ne m'a pas demandé si je voyais Marsden dans la bibliothèque, elle n'y a même pas jeté un coup d'œil. Au bout du couloir, elle a pointé le doigt sur la dernière porte, son autre main toujours enfouie dans sa poche.

– Je parie qu'il est là-dedans. Ouvre la porte.

J'ai obtempéré, et Marsden était là, en effet. Vautré sur un lit tellement large qu'il aurait pu contenir trois ou quatre personnes. Et lui-même en valait bien quatre, Liz n'avait pas exagéré sur son poids. Aux yeux d'un gamin de mon âge, il avait tout d'une vision fantastique. Un costume bien coupé aurait pu camoufler une partie de sa graisse, mais il portait en tout et pour tout un boxer taillé pour un géant. Son énorme ventre, ses mamelles boursouflées et ses bras flasques étaient sillonnés de légères entailles. Sa face de pleine lune était toute tuméfiée, et d'un côté, son œil enflé ne s'ouvrait plus. Il avait aussi un machin bizarre enfoncé dans la bouche – j'ai appris plus tard que ça s'appelait un *ball-gag*, sur un de ces sites web qu'on visite en cachette de sa mère. Ses poignets étaient attachés par des menottes à la tête de lit. Liz ne devait en avoir qu'une paire, parce qu'elle avait utilisé de l'adhésif pour lier ses chevilles aux montants du bas. Un rouleau entier pour chaque jambe, probablement.

– Je te présente le maître de maison.

Il a cligné de son œil intact. Les menottes et l'adhésif auraient dû me mettre immédiatement la puce à l'oreille. Même chose pour les coupures, qui saignaient encore un peu. Pourtant, je n'ai pas compris tout de suite, j'étais beaucoup trop choqué. C'est ce clignement de paupière qui m'a mis sur la voie.

— Il vit toujours !

— Ça peut s'arranger facilement, a répliqué Liz.

Elle a sorti son revolver et lui a tiré une balle en pleine tête.

61

Du sang et des fragments de cervelle ont éclaboussé le mur derrière lui. Je me suis enfui en hurlant, j'ai dévalé les escaliers pour sortir de la maison, je suis passé devant Teddy et j'ai continué à courir jusqu'à Renfield. Tout ça en une seule seconde. Et alors Liz m'a ceinturé.

– Du calme, lascar. Du…

Je lui ai balancé mon poing dans l'estomac. Elle a émis un petit râle de surprise, et aussitôt, elle m'a fait pivoter en me coinçant un bras derrière le dos. Je n'ai fait que crier de plus belle, la douleur était infernale. Brusquement, le sol s'est dérobé sous mes pieds. Liz venait de me balayer, et je suis tombé à genoux en beuglant de toutes mes forces, le bras tellement tordu que mon poignet touchait mon omoplate.

– Ferme-la !

Sa voix n'était qu'un grondement sourd au creux de mon oreille. La femme avec qui j'avais joué aux petites voitures, agenouillé avec elle sur le parquet, pendant que maman nous mijotait des spaghettis en sauce en écoutant des vieux tubes sur Pandora.

– Je te lâche si tu arrêtes de gueuler !

Je me suis tu, et Liz a tenu parole. Toujours à quatre pattes, je fixais le tapis en tremblant de tous mes membres.

– Debout, Jamie.

J'ai réussi à me redresser, le regard rivé au tapis. Je n'avais aucune envie de le tourner vers ce gros bonhomme au crâne démoli.

– Tu le vois ?

J'ai gardé le silence sans relever la tête, les cheveux dans les yeux. Je sentais un élancement dans mon épaule.

– *Tu le vois ?* Regarde autour de toi !

Mon cou a craqué lorsque j'ai levé la tête. Au lieu de porter mon regard sur Marsden – je le voyais quand même, on ne pouvait pas le rater –, je l'ai braqué sur la table de chevet. Plusieurs flacons de pilules étaient posés dessus, à côté d'un sandwich bien garni et d'une bouteille d'eau minérale.

– *Tu le vois, oui ou non ?*

Liz m'a donné une claque sur la nuque. J'ai inspecté la chambre du regard : il n'y avait personne à part nous et le cadavre du gros type. Avec lui, c'était la deuxième fois que je voyais quelqu'un avec une balle dans la tête. Therriault était moche à voir, mais au moins, je n'avais pas été obligé de le regarder mourir.

– Non, y'a personne.

– Comment ça ? Pourquoi il n'est pas là ?

Liz semblait affolée. À cette minute, la terreur embrouillait mes pensées, et c'est seulement après que j'ai réalisé, en me repassant ces cinq minutes interminables dans la chambre de

Marsden : Liz avait encore des doutes, malgré le roman de Regis Thomas, malgré la bombe dans le supermarché. Et elle avait peur. Peur que je ne voie pas les morts pour de bon, peur d'avoir tué la seule personne qui connaissait la cache du lot de pilules.

– J'en sais rien. C'est la première fois que j'assiste à la mort de quelqu'un. Peut-être... qu'il faut un petit délai. Je t'assure, Liz, je sais pas.

– C'est bon, on va patienter.

– Alors on attend ailleurs, tu veux bien ? S'il te plaît, Liz, c'est trop dur de l'avoir devant moi.

– D'accord, on sort dans le couloir. Tu promets d'être sage si je ne te retiens pas ?

– Oui.

– Tu n'essaieras pas de filer ?

– Non.

– Je te conseille d'éviter, ça m'ennuierait beaucoup de te coller une balle dans une jambe ou dans un pied. De quoi compromettre ta carrière de tennisman. Allez, recule.

On est sortis à reculons tous les deux, pour que Liz puisse me rattraper si je tentais de lui fausser compagnie. Une fois dans le couloir, elle m'a demandé de regarder à nouveau. Toujours pas de Marsden.

– Et merde. Tu as remarqué le sandwich, non ?

J'ai confirmé. Un sandwich et une bouteille d'eau pour un homme attaché à son lit XXL. Pieds et poings liés.

– Il avait un appétit incroyable. Un jour, j'ai mangé au restaurant avec lui. Avec ce qu'il s'envoyait, on aurait mieux fait de le nourrir à la pelle. Quel gros porc.

— Et tu lui as laissé un sandwich qu'il ne pouvait pas manger ?

— Oui. Ça me faisait plaisir qu'il l'ait sous les yeux, tout simplement. Qu'il ait tout le temps de le contempler, pendant que je faisais l'aller-retour pour te ramener ici. Une balle dans la tête, c'était tout ce qu'il méritait, je te jure. Tu as une idée du nombre de gens qu'il a tués, avec son poison du bonheur ?

Ce n'est pas toi qui l'as aidé ?

— De toute manière, il n'aurait pas duré très longtemps. Deux ans, peut-être cinq ? Figure-toi que j'ai vu ses toilettes, il a installé un siège double. (Liz a eu un petit rire dégoûté.) Viens, on va faire un petit tour sur la galerie. Il est peut-être dans la grande pièce du bas. Fais doucement.

Je ne risquais pas d'aller bien vite, avec mes cuisses qui tremblaient et mes mollets en coton.

— Tu sais comment j'ai eu le code d'accès ? Par le livreur UPS de Marsden. Ce mec est accro à la coke. Il m'aurait prêté sa bonne femme sans moufter en échange d'une dose. Pour la porte de la maison, c'est Teddy qui m'a donné le numéro.

— Avant que tu lui tires dessus.

— Tu crois que j'avais une autre solution ? (Elle me parlait comme au dernier des abrutis.) Il aurait pu m'identifier.

Même chose pour moi. Cette idée m'a ramené à la chose que je pouvais convoquer en sifflant. Tôt ou tard je serais forcé d'y venir, mais je n'étais pas encore décidé. Parce que j'avais peur que ça ne marche pas ? Sans doute, mais ce n'était pas la seule raison. Si tu fais sortir un génie de ta lampe magique, pas de problème. Mais si c'est un démon que tu fais surgir, une lumière-morte, Dieu seul sait ce qui peut arriver. Et moi, je n'étais pas Dieu.

J'ai jeté un œil vers la grande pièce, par-dessus le garde-corps de la galerie.

– Alors, il y est ?

– Non.

J'ai senti le canon de son arme appuyé contre mes reins.

– Tu ne mens pas ?

– Non !

Liz a poussé un soupir excédé.

– Normalement, ça ne doit pas se passer comme ça.

– Je ne sais pas ce qui est normal, Liz. Il peut tout aussi bien être dehors, en train de parler à T…

Je n'ai pas achevé ma phrase. Liz m'a empoigné par l'épaule pour que je me tourne vers elle. Sa lèvre supérieure était bar- bouillée de sang – stress intense, je présume –, mais elle me souriait.

– Tu as vu Teddy ?

J'ai baissé les yeux, ce qui équivalait à un oui.

– Petit malin, va. Si Marsden ne montre pas son nez, on ira vérifier à l'extérieur, mais pas tout de suite. On attend encore un peu, on n'est pas si pressés. Sa dernière pute est allée voir ses parents. À la Barbade ou à la Jamaïque, je ne sais plus – un endroit exotique, quoi. Et en semaine, il ne reçoit personne, il s'occupe de son business par téléphone. Quand je suis arrivée, il était sur son lit en train de regarder *John Law* à la télé. Dom- mage qu'il n'ait pas mis un pyjama, quand même.

Je n'ai pas renchéri.

– Il a prétendu que ces pilules n'existaient pas, mais c'était clair qu'il me mentait. Du coup, je l'ai immobilisé et je l'ai taillardé ici ou là, histoire de lui délier la langue. Et devine comment il a réagi. *Il m'a ri au nez !* Il a reconnu que oui, il avait de l'Oxy quelque part, et en grande quantité, mais qu'il ne me dirait jamais où. « J'y gagnerais rien, puisque tu vas me tuer quand même. » Voilà ce qu'il m'a répondu. Et c'est là que j'ai eu le déclic. J'ai été sidérée de ne pas y avoir pensé plus tôt. *Muy stupido.*

Elle s'est frappé la tempe avec la main qui tenait le revolver.

– C'était moi, ton déclic.

– Exactement. Je lui ai laissé un sandwich et une bouteille d'eau à contempler, et j'ai foncé à New York pour te récupérer. Personne d'autre n'est venu dans l'intervalle. *Il est où, merde ?*

– Il est là.

– Quoi ? Où ça ?

J'ai tendu le doigt, mais bien entendu elle n'a rien vu du tout. Moi, je voyais pour nous deux. Donald Marsden, également connu sous le nom de Donnie Bigs, se tenait sur le seuil de sa bibliothèque circulaire. Il ne portait que son boxer, le sommet de son crâne avait été presque pulvérisé et ses épaules baignaient dans le sang, mais il fixait sur moi son œil intact – celui que Liz n'avait pas cogné sous l'effet de la rage et de la frustration.

Timidement, je lui ai fait signe de la main. Et il a levé la sienne en retour.

62

– Pose-lui la question !

Le canon de son arme s'est planté dans mon épaule tandis qu'elle me soufflait au visage. Des deux, c'était son haleine qui me gênait le plus.

– Je le ferai si tu me lâches.

Je me suis approché tout doucement de Marsden, Liz sur mes talons. Je sentais sa présence menaçante derrière moi.

Je me suis arrêté à moins de deux mètres de lui.

– Où se trouvent les pilules ?

Il m'a répondu spontanément, comme si ça n'avait aucune importance. Ils réagissent tous de la même manière, excepté Ken Therriault. Pas étonnant, dans le fond. Là où il était et là où il irait (si vraiment il allait quelque part), ces pilules ne lui seraient plus d'aucune utilité.

– Il y en a quelques-unes sur ma table de chevet, et tout le reste est rangé dans mon armoire à pharmacie. Topomax, Marinox, Inderal, Pepcid, Flomax… et une dizaine d'autres.

Il parlait d'un ton monocorde, comme s'il lisait une liste de courses.

– Qu'est-ce que…

– Tais-toi !

Pour l'instant, j'étais maître du jeu, même si ça n'allait pas durer. Est-ce que je resterais le maître si je faisais appel à la chose qui habitait Ken Therriault ? Je n'en avais pas la moindre idée.

– Je lui ai posé la mauvaise question.

Je me suis tourné vers Liz.

– Je veux bien poser la bonne, si tu promets d'abord de me laisser partir quand tu auras trouvé ce que tu cherches.

– Mais bien sûr, Jamie.

Liz me mentait, je l'ai su tout de suite. Je ne peux pas vraiment l'expliquer, ça ne relevait pas de la logique, mais ce n'était pas non plus une simple intuition. Je crois que c'est venu de sa façon de fuir mon regard quand elle a prononcé mon prénom.

Et là, j'ai su que je serais obligé de siffler.

Donald Marsden n'avait pas bougé. Pendant un instant, je me suis demandé s'il avait lu les livres de sa bibliothèque, ou s'ils n'étaient là que pour la frime.

– Ce ne sont pas vos médicaments qui l'intéressent, elle cherche l'Oxy. Où est-ce que vous l'avez mis ?

Ce qui s'est produit ensuite, je n'en avais fait l'expérience qu'une seule fois – le jour où j'avais questionné Therriault sur l'emplacement de sa dernière bombe. Les paroles de Marsden ont cessé d'être en phase avec le mouvement de ses lèvres, comme s'il résistait à son obligation de répondre.

– Je ne veux pas te le dire.

Exactement comme Therriault.

– Jamie ! Qu'est-ce que…

– Tais-toi, à la fin ! Laisse-moi au moins une chance d'y arriver ! (J'ai redemandé à Marsden :) Où est l'Oxy ?

Face à mon insistance, Therriault avait paru souffrir, et je crois – je ne le sais pas, mais je le crois – que c'est à cet instant que la lumière-morte a pénétré en lui. Marsden ne semblait pas éprouver de douleur physique, mais une émotion a circulé en lui, même s'il était mort. Il s'est couvert la figure des deux mains, comme un enfant qui vient de faire une bêtise. Et alors il m'a répondu :

– Dans la pièce sécurisée.

– Je ne comprends pas bien. Qu'est-ce que c'est, cette pièce sécurisée ?

– Un endroit où on se réfugie en cas d'intrusion.

L'émotion s'était dissipée aussi vite qu'elle avait surgi. De nouveau, il ânonnait ses mots comme s'il récitait une liste de courses.

– J'ai des ennemis, et elle en fait partie. Même si je n'en savais rien.

– Demande-lui où est cette pièce ! a crié Liz.

J'avais déjà mon idée là-dessus, mais j'ai quand même posé la question.

Marsden a désigné la bibliothèque.

– C'est une pièce secrète.

Cette fois, Marsden n'a pas répondu. Il ne s'agissait pas d'une question, et j'ai dû reformuler ma phrase :

– Est-ce que c'est bien une pièce secrète ?

– Oui.

– Montrez-moi où elle est.

Il est entré dans la bibliothèque envahie par la pénombre. Les morts ne sont pas des fantômes à proprement parler, et pourtant Marsden en avait tout l'air, au moment où il s'est enfoncé dans l'ombre. En voyant Liz tâtonner pour allumer les lampes du plafond et les torchères, j'ai pensé qu'elle n'était jamais venue avant, même si elle aimait les livres. Combien de fois était-elle entrée dans cette maison ? Une fois ou deux, peut-être, voire jamais. Il se pouvait qu'elle ne l'ait connue qu'à travers des photos, ou en questionnant adroitement des gens qui l'avaient visitée.

Marsden a tendu le doigt vers un des rayonnages. Liz ne le voyait pas, alors je l'ai imité.

– C'est celui-ci.

Elle s'est approchée pour tirer dessus. J'aurais pu en profiter pour m'enfuir, si elle ne m'avait pas traîné avec elle. Même raide et survoltée, elle conservait en partie son instinct de flic. De sa main libre, elle a testé plusieurs rayonnages. Sans résultat. Elle s'est tournée vers moi en jurant.

Pour éviter de me faire secouer ou démonter le bras, j'ai adressé à Marsden la question qui s'imposait :

– Il y a un mécanisme qui permet d'ouvrir ?

– Oui.

– Qu'est-ce qu'il raconte, Jamie ? Merde, dis-le-moi !

Non contente de me ficher la trouille, il fallait encore qu'elle me rende à moitié dingue avec toutes ses questions. Elle ne pensait plus à s'éponger le nez, et le sang qui dégoulinait sur sa lèvre la faisait ressembler aux vampires de Bram Stoker. Ce qui lui correspondait assez bien, selon moi.

– Une minute, tu me déranges, là. (J'ai demandé à Marsden :) Où est-ce qu'il est, ce mécanisme ?

– À droite sur l'étagère du haut.

Je l'ai répété à Liz, qui s'est dressée sur la pointe des pieds. Elle a tâtonné un moment, puis un déclic s'est fait entendre. Liz a tiré de nouveau, et cette fois les rayonnages ont pivoté sur des gonds invisibles, révélant une porte blindée et un digicode. Un voyant rouge brillait au-dessus du clavier, et la question suivante s'est imposée d'elle-même :

– C'est quoi, le code d'accès ?

Marsden s'est caché les yeux avec ses mains, comme un petit enfant qui s'imagine qu'on ne le verra pas s'il ne voit plus les autres. Il faisait pitié, ce geste, mais je n'avais pas de temps à perdre avec les bons sentiments. Marsden était quand même un baron de la drogue qui avait tué des centaines ou des milliers de gens, et rendu accros des milliers d'autres. Et surtout, j'avais déjà suffisamment de problèmes.

– C'est… quoi… le… code… d'entrée ?

J'ai bien détaché les syllabes, comme je l'avais fait pour questionner Therriault. Le contexte avait beau être différent, ça revenait à peu près au même.

Marsden m'a donné les chiffres, il n'avait pas le choix. Je les ai répétés pour Liz.

– 7.3.6.1.2.

Sans me lâcher le bras, elle a tapé le code sur le clavier. Je m'attendais plus ou moins à un bruit sourd suivi d'un chuintement, comme pour le sas d'un vaisseau spatial dans un film de science-fiction, mais le voyant rouge est simplement passé au vert. Comme il n'y avait ni poignée ni bouton de porte, Liz a poussé le battant. À l'intérieur de la pièce, il faisait aussi noir que dans un four.

– Demande-lui comment on allume.

J'ai transmis à Marsden, qui m'a répondu aussitôt :

– Il n'y a pas d'interrupteurs.

Ses bras étaient retombés le long de son corps, et sa voix se faisait déjà plus lointaine. Tout d'abord, j'ai pensé qu'elle s'affaiblissait plus vite parce qu'il était mort assassiné, mais depuis j'ai changé d'avis. Je crois plutôt qu'il tenait à disparaître avant qu'on découvre ce qui se cachait là-dedans.

– Avance-toi un peu, ai-je conseillé à Liz.

Hésitante, elle a risqué un pas dans l'obscurité, toujours cramponnée à moi, et les rampes fluorescentes se sont allumées au plafond. La pièce était plus que dépouillée. Un « frigidaire » au fond (j'ai cru entendre la voix du professeur Burkett), une plaque de cuisson et un four à micro-ondes. À droite et à gauche, des étagères garnies de conserves bon marché. Des produits Spam et du ragoût de bœuf Dinky Moore, des sardines en boîte King Oscar. Il y avait aussi de la nourriture en sachets – le genre de rations individuelles qu'on distribuait dans l'armée, je l'ai su après. Et des cartons de lait et des bouteilles de bière, par packs de six. Un téléphone fixe était posé sur une des étagères du bas. Sur la table toute simple qui occupait le centre de la pièce, un ordinateur et une imprimante, une épaisse chemise de classement et une trousse de toilette.

– Où est l'Oxy ?

J'ai posé la question avant de transmettre à Liz :

– Il dit qu'il est avec son nécessaire, si tu comprends ce que c'est.

Liz s'est emparée de la trousse de toilette, et quand elle l'a retournée, plusieurs flacons en sont tombés, en même temps que deux ou trois paquets emballés dans un film plastique. Pas vraiment le butin du siècle. Elle s'est mise à vociférer :

– Putain, c'est quoi, ça ?

C'est tout juste si je l'ai entendue. Machinalement, je venais d'ouvrir la chemise à côté de l'ordinateur, et j'étais sous le choc. Au début, j'avais eu l'impression de ne même pas savoir décoder les images, mais en fait, si, j'avais tout vu. Maintenant, je comprenais mieux pourquoi Marsden voulait nous empêcher d'entrer, et pourquoi il restait perméable à la honte même après sa mort. Cette fois, ça n'avait rien à voir avec le trafic de drogue. Je me suis demandé si la femme sur la photo portait le même *ball-gag* que celui qu'il avait eu dans la bouche. L'ironie du sort, en quelque sorte.

– Liz ?

J'avais les lèvres engourdies, comme après une anesthésie chez le dentiste.

– C'est tout ? a hurlé Liz. Putain, il va pas me faire croire que c'est tout !

Elle a dévissé un des flacons de pharmacie pour en répandre le contenu. Vingt ou vingt-cinq pilules, pas davantage.

– Merde, c'est même pas de l'Oxy, ce truc ! C'est juste du Darvon !

Elle ne me retenait plus et j'aurais pu m'enfuir, mais ça ne m'est même pas venu à l'idée. Je ne pensais même plus à appeler Therriault.

– Liz ?

Elle ne m'écoutait pas, trop occupée à ouvrir les flacons. Ils contenaient tous des produits différents, mais il n'y avait pas grand-chose au total. Elle s'est concentrée sur un lot de pilules bleues.

– Super, c'est des Roxies, mais il y en a dix à tout casser, là ! Demande-lui où est le reste !

– Liz, viens voir ça.

C'était bien ma voix, mais elle semblait venir de très loin.

– Je t'ai dit de lui demander...

Elle a fait volte-face, suivant mon regard.

Une photographie sur papier glacé – il y en avait toute une pile. Trois personnes figuraient dessus, deux hommes et une femme. Un des deux hommes était Marsden, et il ne portait même pas de boxer. L'autre aussi était nu. Ils faisaient des choses à la femme au *gag-ball*. Je dirai seulement que Marsden tenait un petit chalumeau, et que le deuxième type était muni d'une grosse fourchette à barbecue.

– Merde, a soufflé Liz. Putain de merde.

Elle a feuilleté la liasse. Insoutenable.

– C'est elle, a déclaré Liz en refermant la chemise.

– Qui ça ?

– Maddie, sa femme. Elle n'avait pas fichu le camp, en définitive.

Marsden se trouvait toujours dans la bibliothèque, mais il détournait le regard. Il avait l'arrière du crâne dévasté, comme

Therriault, mais je l'ai à peine remarqué. Ce soir-là, j'ai découvert qu'il existait des choses bien plus terribles que les blessures par balle. Et ce n'était pas rien.

– Ils l'ont torturée à mort.

– Oui, a confirmé Liz, et en plus, ils se sont bien éclatés. Tu as vu leurs grands sourires ? Tu regrettes toujours que je l'aie descendu ?

– Tu ne l'as pas tué à cause de sa femme. Tu n'étais même pas au courant. C'est pour la drogue que tu l'as fait.

Liz a haussé les épaules comme s'il s'agissait d'un détail, et je suppose qu'elle le voyait ainsi. Depuis la pièce secrète où Marsden venait admirer ses horribles photos, elle a regardé en direction de la bibliothèque et du haut de l'escalier.

– Il est toujours là ?

– Oui, juste sur le seuil.

– Au début, il prétendait que ces pilules n'existaient pas, mais je savais qu'il mentait. Et ensuite, il a dit qu'il en avait des tas. Des tas !

– C'était peut-être ça, le mensonge. C'est possible, puisqu'il n'était pas encore mort.

– Mais il t'a raconté qu'elles étaient dans la pièce sécurisée ! Et là, il était mort !

– Oui, mais il n'a pas précisé la quantité. (Je me suis adressé à Marsden :) Vous n'en avez pas d'autres ?

– Non, c'est tout.

Sa voix était de moins en moins audible.

– Mais vous lui avez dit qu'il y en avait des tas !

Il a haussé ses épaules couvertes de sang.

– Je pensais que tant qu'elle le croirait, je resterais en vie.

– Pourtant, quelqu'un lui avait donné une info, à propos d'une grosse livraison que vous attendiez.

– Oh, ça, c'était juste des conneries. Dans ce business, les gens sortent n'importe quel bobard pour se faire mousser.

Liz a secoué la tête quand je l'ai mise au courant, elle ne le croyait pas. Ou plutôt elle se refusait à le croire. Sans ça, elle aurait dû dire adieu à ses plans sur la côte Ouest, et conclure de tout ça qu'elle s'était fait rouler. Du coup, elle est revenue à la charge.

– Mais si, il cache quelque chose, d'une manière ou d'une autre. Redemande-lui où se trouve le reste.

J'allais lui répondre que si ces pilules existaient vraiment, Marsden aurait déjà avoué, quand j'ai eu une idée. La violence des photos abjectes que je venais de voir m'avait sans doute tiré de ma stupeur, et je me suis dit que, moi aussi, je pouvais peut-être tenter une arnaque. D'autant plus que Liz semblait toute disposée à tomber dans le panneau. Si par chance ma tactique fonctionnait, j'avais une chance de pouvoir m'échapper sans être forcé d'appeler un démon.

Liz s'est mise à me secouer, m'empoignant par les épaules.

– Je t'ai dit de redemander !

Je lui ai obéi.

– Mr Marsden, où est le reste de la drogue ?

– Je te le répète, il n'y a rien de plus. (Sa voix ne cessait de s'affaiblir.) D'habitude, j'en garde un peu pour Maria, mais elle est partie aux Bahamas. Bimini.

– Ah, je vois. Je préfère ça. (J'ai montré à Liz les étagères garnies de conserves.) Tout là-haut, les boîtes de spaghettis.

Elle ne pouvait pas les louper, il y en avait facilement une trentaine. Sûrement le plat favori de Donnie Bigs.

– Il dit qu'il en a planqué là-dedans. Mais c'est pas de l'Oxy…

Elle pouvait toujours me traîner derrière elle, mais j'ai pensé que l'impatience serait la plus forte. Et j'avais bien raison, Liz s'est précipitée vers le stock de conserves. À l'instant où elle s'est dressée sur la pointe des pieds, bras tendu, je me suis rué hors de la pièce pour traverser la bibliothèque en courant. Malheureusement, je n'avais pas eu la présence d'esprit de refermer la porte. Marsden se trouvait sur mon chemin, et même si son corps paraissait solide, je suis passé au travers. Pendant quelques secondes, j'ai senti une bouffée de froid glacial, et un goût huileux de chorizo pour pizza a empli ma bouche.

Alors que je fonçais vers l'escalier, j'ai entendu un fracas de conserves renversées.

– Jamie, reviens ici ! Reviens tout de suite !

Liz s'est lancée à ma poursuite, ses pas résonnaient derrière moi. Parvenu dans le virage de l'escalier, j'ai jeté un regard par-dessus mon épaule. Grossière erreur : le mouvement m'a fait trébucher. Il ne me restait plus qu'à siffler, mais quand j'ai froncé les lèvres, j'avais la bouche tellement sèche que je n'ai émis qu'un petit souffle d'air. Alors, je me suis mis à crier.

– THERRIAULT !

J'ai commencé à ramper sur les marches, la tête la première et les cheveux dans les yeux, mais Liz s'est cramponnée à ma cheville.

– THERRIAULT, AIDE-MOI ! OBLIGE-LA À ME LÂCHER !

Tout à coup, une lumière blanche a tout envahi. Pas seulement la galerie et la cage d'escalier, mais l'espace tout entier au-dessus de la grande pièce et du salon encaissé. Lorsque ça s'est produit, je m'étais retourné vers Liz, et j'ai dû plisser les yeux face à cette clarté agressive, à demi aveuglé. Elle provenait du grand miroir de la cage d'escalier et se déversait encore plus violemment du miroir jumeau, de l'autre côté de la galerie.

Liz a relâché sa prise. Accroché à une des marches en granit, j'ai serré de toutes mes forces. Puis j'ai dévalé l'escalier sur le ventre, comme un gamin sur un toboggan semé de bosses. Je n'avais fait qu'un bout de la descente quand je me suis immobilisé, Liz hurlant derrière moi. J'ai jeté un coup d'œil sous mon bras. Dans la position où je me trouvais, je la voyais à l'envers. Debout face au miroir. J'ignore ce qu'elle a vu exactement, et c'est tant mieux – j'aurais pu perdre le sommeil pour toujours. C'était déjà bien suffisant de voir briller cette lumière sans couleur qui jaillissait de la glace comme une éruption solaire.

La lumière-morte.

Et là, j'ai vu – enfin, je crois – une main sortir du miroir pour se refermer sur le cou de Liz. Le verre s'est fendu lorsqu'elle l'a tirée vers la glace.

Liz hurlait toujours.

Toutes les lumières se sont éteintes.

On était à la fin du crépuscule, il ne faisait pas complètement noir dans la maison, mais ça n'allait plus tarder. La pièce en contrebas ressemblait à un gouffre plein d'ombres. Derrière moi, en haut de l'escalier, Liz hurlait à n'en plus finir. Agrippé à la rampe de verre lisse, j'ai réussi à me relever et à regagner le salon tant bien que mal.

C'est à cet instant que Liz a éclaté de rire. Je l'ai vue alors dégringoler les marches en riant comme le Joker de Batman, mais elle allait beaucoup trop vite, sans même regarder où elle posait les pieds. Elle tanguait d'un côté et de l'autre en se cognant aux rampes, tout en surveillant le miroir derrière son dos. La lumière était en train de faiblir, comme sur le filament d'une ampoule électrique à l'ancienne.

– *Liz, attention !*

Je ne rêvais que de m'enfuir loin d'elle, et pourtant je l'ai mise en garde. Un pur réflexe qui n'a servi à rien. Déséquilibrée, Liz a basculé en avant en heurtant les marches, puis elle a fait une roulade avant de se cogner à nouveau. Après une dernière cabriole, elle a dévalé jusqu'en bas. Le premier choc l'a fait rire, mais pas le deuxième. Comme si on venait de couper le son de la radio. Elle gisait sur le dos au pied de l'escalier, le cou tordu et le nez dévié, un bras replié dans une position anormale. Ses yeux grands ouverts fixaient la semi-obscurité.

– Liz ?

Pas de réponse.

– Liz, est-ce que ça va ?

Quelle question idiote ! Et pourquoi je m'en serais soucié, d'abord ? En vérité, j'avais une bonne raison de souhaiter qu'elle soit en vie : il y avait quelque chose derrière moi ; je n'entendais rien, mais je le savais.

Agenouillé près de Liz, j'ai approché la main de sa bouche

ensanglantée. Pas un souffle. Ses paupières ne cillaient pas. Elle était morte. Je me suis relevé et, quand j'ai tourné la tête, j'ai vu exactement ce à quoi je m'attendais. Liz debout devant moi, avec son manteau ouvert et son sweat taché de sang. Mais ce n'était pas moi qui l'intéressais, elle regardait quelque chose par-dessus mon épaule. Elle a levé la main, doigt tendu, et même à cette minute épouvantable, je me suis rappelé l'Esprit du Noël à venir qui désignait la tombe de Scrooge, dans le *Chant de Noël* de Dickens.

Kenneth Therriault, ou ce qui subsistait de lui, était en train de descendre l'escalier.

63

Il ressemblait à une bûche calcinée dans laquelle le feu couvait encore. Je ne vois pas de meilleure image pour le décrire. Il était devenu tout noir, mais sa peau fendillée de partout laissait filtrer l'éclat de la lumière-morte. Elle sortait par ses yeux, par ses narines et par ses oreilles et, lorsqu'il a ouvert la bouche, elle a même jailli d'entre ses lèvres.

Il a levé les bras en grimaçant un sourire.

– On va refaire le rituel, et on verra bien qui est le vainqueur, cette fois. Maintenant que je t'ai sauvé d'elle, j'estime que tu me dois bien ça.

Il s'est hâté de descendre, prêt pour la grande scène des retrouvailles. Alors que mon instinct me soufflait de décamper sans demander mon reste, une force plus profonde m'ordonnait de ne pas bouger, d'ignorer mon envie de fuir l'horreur qui s'annonçait. Si je me sauvais, « ça » me ceinturerait par-derrière en me retenant entre ses bras carbonisés, et ce serait la fin. Cette chose aurait le dessus, et moi je deviendrais son esclave, condamné à accourir chaque fois qu'elle m'appellerait. Elle me posséderait vivant comme elle avait possédé Therriault après sa mort, et ce serait beaucoup plus terrible.

— Arrête !

La carcasse noircie de Therriault s'est figée au pied de l'escalier. Ses bras grands ouverts n'étaient plus qu'à un pas de moi.

— Va-t'en. J'en ai terminé avec toi. Pour toujours.

— Jamais tu n'en auras terminé avec moi. (Et il a ajouté un mot qui m'a donné la chair de poule et a fait se dresser mes cheveux sur ma nuque :) *Champion*.

— On verra bien.

Mes paroles avaient beau être courageuses, ma voix tremblait quand même.

Il gardait les bras ouverts, et ses mains noircies, sillonnées de craquelures brillantes, se rapprochaient dangereusement de mon cou.

— Si tu tiens à te débarrasser définitivement de moi, accroche-toi. On va recommencer le rituel et, cette fois, ce sera plus équitable, parce que je suis prêt à t'affronter.

Ne me demandez pas pourquoi, mais sa proposition me tentait étrangement. Cependant, quelque chose au fond de moi a eu le dernier mot, plus puissant que l'ego ou l'instinct. On peut battre le diable une fois – grâce à la Providence, au courage ou à la chance toute bête, ou à un mélange des trois –, mais deux fois, ce n'est pas possible. Sauf pour un saint, et encore.

— Va-t'en.

C'était mon tour de tendre le doigt comme le dernier fantôme de Scrooge. Alors que je lui montrais la porte, la chose a eu un sourire moqueur qui a relevé la lèvre charbonneuse de Therriault.

– Tu ne peux pas me renvoyer, Jamie. Tu ne l'as pas encore compris ? Nous sommes liés l'un à l'autre. Tu n'avais pas mesuré les conséquences, mais elles sont bien là.

De nouveau, je lui ai demandé de partir. Incapable d'en dire plus tant j'avais la gorge serrée, comme le chas d'une aiguille.

Il m'a semblé que le corps de Therriault prenait son élan pour fondre sur moi et m'envelopper dans son étreinte ignoble, mais je me trompais. Peut-être qu'il n'en avait plus la force.

Quand il est passé près d'elle, Liz a eu un mouvement de recul. J'ai cru alors que la chose allait traverser la porte comme j'étais passé au travers de Marsden, mais non – il ne s'agissait pas d'un fantôme, quoique j'ignore ce qu'elle était vraiment. Elle a tourné le bouton de la porte tandis que sa peau se craquelait un peu plus en laissant filtrer la lumière. La porte s'est ouverte brusquement, et elle a dit en me regardant :

– Siffle et je viendrai à toi, mon vieux.

Et elle s'en est allée sur ces mots.

64

Mes jambes me soutenaient à peine, mais je n'avais aucune envie de m'asseoir sur les marches, avec le corps fracassé de Liz Dutton étalé au pied de l'escalier. D'un pas chancelant, je me suis avancé jusqu'au salon encaissé avant de m'effondrer dans un des fauteuils qui le bordaient. Tête baissée, j'ai éclaté en sanglots. Il y avait de l'hystérie et de la terreur dans ces larmes, mais je crois que j'ai aussi pleuré de joie, bien que mes souvenirs ne soient pas très précis. J'étais vivant. Dans une maison toute noire isolée au bout d'un chemin privé, en compagnie de deux cadavres et de deux résidus – Marsden me regardait par-dessus la rambarde de la galerie –, mais au moins, j'étais vivant.

– Pas deux, trois, ai-je rectifié pour moi-même. Trois cadavres et trois résidus. Je n'avais pas compté Teddy.

Je me suis mis à rire, mais en pensant que Liz avait ri de la même façon une minute avant sa mort, je me suis forcé à me taire. Et j'ai réfléchi à la suite. Selon moi, la chose la plus urgente était de refermer cette foutue porte d'entrée. Se sentir observé par une paire de revenants (encore un mot que j'ai connu après coup, vous le devinez) n'avait rien d'agréable, mais j'y étais habitué : les morts savaient toujours que je les voyais. C'était bien plus horrible de se dire que Therriault traînait encore dans les parages, avec cette lumière-morte qui rayonnait à travers sa peau en décomposition. Je lui avais ordonné de partir, et il avait obéi. Mais s'il revenait ?

Je suis passé près de Liz pour aller fermer la porte. En revenant, je lui ai demandé conseil pour la suite et, contre toute attente, elle m'a répondu.

— Téléphone à ta mère.

Je me suis souvenu du poste fixe installé dans la pièce sécurisée, mais il n'était pas question que je remonte là-haut. Même pas pour un empire.

— Liz, tu as toujours ton portable ?

— Oui.

Elle semblait détachée de tout, comme la plupart des morts. Pas tous, cependant. Mrs Burkett avait conservé assez d'énergie pour nier la valeur artistique de ma dinde de Thanksgiving. Et Donnie Bigs avait tenté de protéger la cachette de ses photos de porno ultra-violent.

— Où est-ce qu'il est ?

— Dans la poche de mon manteau.

Je me suis penché sur son corps pour chercher le portable dans la poche droite de son duffle-coat. Lorsque mes doigts ont effleuré la crosse de l'arme qui avait tué Marsden, je les ai retirés comme si je m'étais brûlé. J'ai essayé l'autre poche, et j'en ai sorti le téléphone.

— C'est quoi, ton mot de passe ? lui ai-je demandé après l'avoir allumé.

– 2665.

Je l'ai entré à toute vitesse, puis j'ai sélectionné l'indicatif de New York et j'ai commencé à taper le numéro de ma mère. Là, je me suis ravisé et j'ai composé un autre numéro.

– 911, vous avez une urgence à signaler ?

– Je suis dans une maison avec deux cadavres. Une des deux personnes a été assassinée, et l'autre est tombée dans l'escalier.

– C'est une blague, petit ?

– Hélas non. La femme qui a fait une chute m'avait kidnappé pour m'emmener ici.

– Comment est-ce qu'on peut te localiser ?

La femme à l'autre bout du fil commençait à me prendre au sérieux.

– Je suis à la sortie de Renfield, madame. Au bout d'un chemin privé. Je ne connais pas exactement la distance, et je ne sais pas s'il y a un numéro de rue. (J'ai fourni alors l'information que j'aurais dû donner en premier.) C'est la maison de Donald Marsden. L'homme qui a été tué par la femme – celle qui est tombée dans l'escalier. Elle s'appelle Liz Dutton. Elizabeth.

La dame m'a demandé si j'allais bien, puis elle m'a enjoint de ne pas bouger, la police n'allait pas tarder à arriver. Je n'ai pas bougé, et j'ai téléphoné à ma mère. Cette fois, la conversation a duré beaucoup plus longtemps, et elle a été passablement confuse, vu qu'on pleurait tous les deux. Je lui ai fait un compte rendu détaillé, mais sans mentionner la lumière-morte. Maman m'aurait cru, mais ce n'était pas la peine qu'on soit deux à faire des cauchemars. Je lui ai simplement raconté que Liz était tombée en me pourchassant, et qu'elle s'était brisé la nuque.

Pendant que je parlais à ma mère, Donald Marsden a descendu l'escalier pour se placer près du mur. Un mort avec le sommet du crâne pulvérisé, et un deuxième avec le cou tordu. Ils faisaient une sacrée paire, ces deux-là. C'est une histoire d'épouvante, vous étiez prévenus, mais j'arrivais quand même à les regarder sans trop paniquer, maintenant que la chose la plus atroce était partie. Je pouvais toujours la rappeler, bien entendu, elle reviendrait si je le décidais.

Pour cela, il me suffisait de siffler.

Au bout d'un interminable quart d'heure, des sirènes ont retenti au loin. Dix minutes plus tard, des lueurs rouges et bleues ont éclaboussé les vitres. On m'avait envoyé une équipe complète, au moins une demi-douzaine de flics. Au début, je n'ai distingué que des silhouettes noires encadrées par la porte, occultant le peu de jour qui pouvait subsister. L'un des officiers a demandé « où étaient les foutus interrupteurs », et un collègue lui a répondu qu'il les avait trouvés. La lumière ne s'est pas allumée, et il a lâché un juron.

– Il y a quelqu'un ? a lancé un troisième. Si vous nous entendez, signalez-vous immédiatement !

Je me suis levé mains en l'air, mais ils n'ont dû voir qu'une vague forme en mouvement.

– Je suis là ! Et j'ai les mains en l'air ! Le système électrique a sauté. C'est moi qui vous ai appelés.

Plusieurs lampes torches ont croisé leurs faisceaux, puis la lumière s'est stabilisée sur moi tandis qu'un des flics s'approchait. Une femme qui a fait un écart en croisant Liz, sans même comprendre pourquoi. Sa main était posée sur la crosse de son arme, dans le holster, mais elle l'a écartée en me découvrant. Un vrai soulagement pour moi.

Elle a mis un genou à terre avant de me questionner.

– Tu es tout seul ici ?

J'ai coulé un regard vers Liz, puis vers Marsden, qui se tenait bien loin de la femme qui l'avait assassiné. Même Teddy était là, planté sur le seuil que les flics avaient fini par libérer. Toute cette agitation avait dû l'attirer, à moins qu'il ait juste eu envie de venir faire un tour dans la maison. Les Trois Stooges, trio comique version zombie.

– Oui, ai-je confirmé. Il n'y a que moi.

65

La policière m'a passé un bras autour des épaules pour me conduire à l'extérieur. En me voyant trembler, elle s'est imaginé que j'avais froid, mais j'avais une autre raison, naturellement. Et elle a eu beau me céder sa veste, ça n'a pas suffi. J'ai quand même enfilé les manches trop longues en serrant la veste contre mon corps. Les poches étaient alourdies par son matériel de flic, mais ça ne me gênait pas, leur poids me réconfortait.

Trois véhicules de patrouille étaient garés devant la maison, un de chaque côté de la petite voiture de Liz, le troisième collé à l'arrière. Un quatrième est arrivé sur ces entrefaites, un SUV qui portait l'inscription CHEF DE LA POLICE DE RENFIELD. L'ensemble des effectifs avait dû rappliquer sur les lieux, une trêve inespérée pour les alcoolos et les chauffards du coin.

Un officier s'est approché de nous.

– Qu'est-ce qui s'est passé, mon grand ?

Avant que j'aie pu répondre, la policière a posé un doigt sur mes lèvres. Pas de problème, c'était plutôt rassurant.

– On va attendre pour les questions, Dwight. Ce gamin est en état de choc, il a besoin d'un médecin.

Un type baraqué en chemise blanche était sorti du SUV, son badge de policier attaché autour du cou. Le chef, certainement. Il a entendu la fin de la conversation.

– C'est toi qui l'accompagnes, Caroline. Fais-le examiner. Vous avez pu constater les décès ?

– Il y a un corps au pied de l'escalier. Une femme. Je ne peux pas confirmer le décès, mais à voir la position de sa tête...

– Elle est morte, c'est sûr, ai-je déclaré avant de fondre en larmes.

– Vas-y, Caro. Pas la peine de l'emmener à l'hôpital, on peut se contenter de l'unité de proximité. Et pour les questions, on attend que je sois là et qu'un adulte référent l'ait rejoint. Vous avez son identité ?

– Non, pas encore. C'est une histoire de dingue. Il n'y a plus d'électricité dans la maison.

Le chef s'est penché vers moi, mains sur les cuisses, et j'ai eu l'impression d'avoir de nouveau cinq ans.

– Comment tu t'appelles ?

Et moi qui croyais qu'on ne devait pas m'interroger.

– Jamie Conklin. Ma mère est en route. Tia Conklin. Je lui ai téléphoné.

– Je vois. (Il a demandé à Dwight :) C'est quoi, ce problème d'électricité ? Il y a de la lumière dans toutes les maisons du secteur.

– Aucune idée.

– Elles se sont éteintes pendant qu'elle me poursuivait dans l'escalier. Je pense que c'est pour ça qu'elle est tombée.

Le chef aurait aimé en savoir plus, manifestement, mais

il a demandé à l'officier Caroline de démarrer. Alors qu'elle manœuvrait pour s'engager dans l'allée en lacets, j'ai mis la main dans ma poche, et mes doigts ont rencontré le portable de Liz. Je ne me rappelais même pas l'y avoir rangé.

– Vous voulez bien que je retéléphone à ma mère, pour l'avertir qu'on va aux urgences ?

– Bien sûr.

Tout en lançant l'appel, j'ai pris conscience des ennuis qui me guettaient si elle s'apercevait que j'utilisais l'appareil de Liz. Elle pourrait tout à fait s'étonner que je connaisse le mot de passe de la femme morte, et je serais bien en peine de me justifier. Par chance, elle ne m'a rien demandé.

Maman était dans le Uber, et m'a dit qu'elle serait très vite là. La course allait lui coûter une petite fortune, heureusement que l'agence s'était refait une santé. Je lui ai assuré que tout allait bien, que l'officier me conduisait chez le médecin à Renfield pour un simple examen de contrôle. Elle m'a conseillé de ne rien dire avant son arrivée, et j'ai promis de me taire.

– Je vais contacter Monty Grisham. Ce n'est pas du tout sa branche, mais il m'enverra vers un spécialiste.

– Je n'ai pas besoin d'un avocat, maman. (L'officier Caroline m'a jeté un petit regard oblique.) Je n'ai rien fait de mal.

– Si Liz a tué quelqu'un en ta présence, il te faudra bien un avocat. Il y aura une enquête, la presse va s'en mêler et ainsi de suite. Tout est ma faute. C'est moi qui ai fait entrer cette sale conne chez nous. Salope de Liz ! a-t-elle craché pour finir.

– Au début, elle était sympa. (Ce n'était pas faux, mais tout

à coup, je me suis senti envahi par une immense fatigue.) Bon,
à tout à l'heure, alors.

J'ai raccroché en demandant à l'officier si on était encore loin.
Il restait vingt minutes de route, m'a-t-elle indiqué. Je me suis
tourné brusquement vers la banquette arrière, persuadé que Liz
était là, derrière la paroi grillagée. Liz ou pire encore – Therriault. Mais il n'y avait personne.

– Ne t'inquiète pas, Jamie, on n'est que tous les deux.

– Non, non, ça va.

Pourtant, il y avait une chose dont il fallait que je m'inquiète.
Et heureusement que je m'en suis souvenu, sinon maman et moi
on aurait eu des ennuis. La tête appuyée contre la vitre, je me
suis détourné à demi.

– Je vais faire un petit somme.

– Comme tu voudras.

J'ai deviné à sa voix que l'officier me souriait.

Je l'ai fait pour de bon, ce petit somme, mais d'abord j'ai
allumé le mobile de Liz en le dissimulant avec mon corps, et
j'ai effacé l'enregistrement du *Secret de Roanoke*, dont j'exposais
l'intrigue à ma mère. Si jamais ils me confisquaient le portable
et découvraient qu'il ne m'appartenait pas, j'inventerais un quelconque bobard. Ou je prétendrais que je ne me souvenais de
rien, ce qui semblait la solution la plus sûre. Mais cet enregistrement, ils ne devaient pas mettre la main dessus. Jamais de la vie.

66

Nous étions aux urgences depuis une bonne heure quand le chef de la police nous a rejoints avec deux de ses officiers. Il y avait aussi un bonhomme en costume qui s'est présenté comme le procureur du comté. Le médecin qui m'a ausculté a déclaré que, dans l'ensemble, tout allait bien ; ma tension était simplement un peu élevée, ce qui était bien compréhensible après ce que je venais de subir. D'ici demain matin tout serait rentré dans l'ordre, j'étais foncièrement « un adolescent en bonne santé ». En bonne santé et capable de voir les morts, mais j'ai gardé ce détail pour moi.

Les policiers et le procureur m'ont accompagné dans la salle de repos du personnel pour attendre ma mère. Dès qu'elle est apparue, ç'a été le début des questions. Nous avons passé la nuit au Stardust Motel de Renfield, et l'interrogatoire s'est poursuivi le lendemain matin. C'est maman qui s'est chargée de leur dire qu'elle avait eu une relation avec Liz Dutton. Relation qui s'était achevée le jour où elle avait compris que Liz était impliquée dans un trafic de stupéfiants. De mon côté, je leur ai raconté comment Liz m'avait embarqué à la sortie de mon club de tennis pour m'emmener à Renfield, où elle projetait de voler un énorme stock d'Oxy chez Mr Marsden. Il avait fini par lui révéler la cachette de la drogue, et elle l'avait assassiné. Soit qu'elle ait été déçue de ne pas toucher le jackpot espéré, soit qu'elle ait réagi à l'autre découverte qu'elle avait faite dans la pièce sécurisée. Les photos.

— Il y a une chose qui m'échappe, a observé l'officier Caroline au moment où je lui rendais sa veste.

Maman lui a lancé le regard méfiant de la-mère-qui-protège-son-petit, mais elle n'a rien remarqué. C'était moi qu'elle regardait.

— Elle a attaché cet homme...

— Elle a dit qu'elle l'avait « immobilisé ». C'est le mot qu'elle a employé. Parce qu'elle a travaillé dans la police, peut-être.

— Soit. Elle l'a immobilisé. Et d'après ce que tu nous as raconté et ce que nous avons trouvé à l'étage, elle l'a aussi corrigé un peu. Mais rien de très grave.

Ma mère s'est impatientée.

— Vous voulez bien en venir au fait ? Mon fils vient de vivre une expérience traumatisante, il est épuisé.

Caroline l'a ignorée, son regard brillant braqué sur moi.

— Elle aurait pu faire bien pire, le torturer jusqu'à ce qu'il avoue et, au lieu de ça, elle l'a laissé en plan pour se rendre à New York, te kidnapper et te ramener ici. Tu comprends ce qui l'a motivée ?

— Non, je sais pas.

— Vous avez roulé pendant deux heures, et elle ne t'a parlé de rien ?

– Elle a juste dit qu'elle était contente de me voir.

Je ne me rappelais pas si elle l'avait dit ou non, mais je n'ai pas eu l'impression de raconter un mensonge. J'ai repensé à toutes ces soirées qu'on avait passées sur le canapé à regarder *The Big Bang Theory* en prenant des fous rires, et je me suis mis à pleurer. Ce qui m'a sauvé des questions gênantes.

Quand on a été rentrés au motel, la porte bien verrouillée derrière nous, maman m'a donné un conseil.

– S'ils t'interrogent à nouveau, dis-leur qu'elle avait peut-être l'intention de t'emmener avec elle sur la côte Ouest. C'est d'accord ?

– Oui.

Je me suis demandé si, de près ou de loin, Liz avait réellement envisagé cette option. Une hypothèse franchement déplaisante, mais qui valait toujours mieux que ma première supposition (celle que je privilégie encore maintenant) : Liz avait tout simplement projeté de me tuer.

Au lieu de dormir dans la chambre attenante, je me suis installé dans celle de ma mère, sur le divan. Cette nuit-là, j'ai rêvé que je marchais sur une route de campagne isolée, sous un croissant de lune courbé comme une faux. Je me répétais *Ne siffle pas, ne siffle pas*, mais j'étais incapable de m'en empêcher. Et je sifflais l'air de « Let It Be », je m'en souviens très clairement. Au bout de cinq ou six notes à peine, j'entendais un bruit de pas derrière mon dos.

Je me suis réveillé les deux mains plaquées sur la bouche, comme pour étouffer un cri. Depuis, il m'est arrivé plusieurs fois de me réveiller ainsi, mais en réalité, je n'ai pas peur de me mettre à crier. Ce que je redoute par-dessus tout, c'est de m'éveiller en sifflant, et de trouver la lumière-morte auprès de moi.

Bras ouverts pour m'envelopper dans son étreinte.

67

L'adolescence ne va pas sans inconvénients, c'est certain : les boutons d'acné, le pensum des bons vêtements à choisir pour ne pas devenir la risée du collège, et le mystère des filles. Je pourrais en citer d'autres, mais il existe aussi un certain nombre d'avantages, comme je l'ai appris au lendemain de ma virée chez Marsden – ou de mon kidnapping, pour dire les choses telles qu'elles sont. Pour commencer, j'ai été dispensé d'affronter une horde de journalistes et de cameramen pendant l'enquête, pour la bonne raison que je n'ai pas eu à témoigner directement. J'ai été autorisé à faire ma déposition par vidéo, flanqué de maman et de l'avocat que nous avait procuré Monty Grisham. Et la presse avait beau connaître mon identité, mon nom n'a jamais été cité dans les médias. Tout ça grâce à mon statut de mineur – un véritable talisman. Les élèves de l'école étaient au courant (ils se débrouillent toujours pour savoir), mais aucun ne s'est fichu de moi. Au contraire, j'ai gagné leur respect. Je n'avais même plus à me creuser la tête pour aborder les filles, c'étaient elles qui venaient me brancher devant mon casier.

Cerise sur le gâteau, on n'a pas eu d'embrouilles avec le

téléphone de Liz. Il faut dire que maman l'avait éliminé en le jetant dans l'incinérateur à ordures. *Bon voyage**. Si quelqu'un venait à me poser des questions, j'étais censé prétendre que je l'avais perdu. Cela dit, on ne m'a rien demandé. Et concernant les motivations de Liz, la police a abouti toute seule à l'explication que maman m'avait suggérée : elle m'avait kidnappé pour pouvoir m'emmener avec elle sur la côte Ouest, pensant peut-être qu'une femme avec un enfant attirerait moins l'attention. Personne n'a eu l'air de se dire que j'aurais pu tenter de m'enfuir, ou au moins appeler au secours à l'occasion d'une pause-ravitaillement, quelque part en Pennsylvanie, dans l'Indiana ou dans le Montana. Manifestement, on me voyait comme la petite victime docile, façon Elizabeth Smart. Parce que j'étais un mineur, rappelez-vous.

Pendant une dizaine de jours, la presse s'est déchaînée, en particulier les tabloïds. Marsden était un baron de la drogue, et surtout, il y avait les photos découvertes dans la pièce sécurisée. Paradoxalement, Liz a fait figure d'héroïne. Le *Daily News* claironnait en une : UNE ANCIENNE POLICIÈRE TROUVE LA MORT APRÈS AVOIR ABATTU LE ROI DU TORTURE PORN. Personne n'a jugé utile de préciser qu'elle avait perdu son boulot suite à une enquête de l'Inspection générale. En revanche, les médias ont souligné son rôle dans la neutralisation de la dernière bombe de Thumper au supermarché, avant qu'elle ait pu tuer une flopée de clients. Le *Post* avait sûrement introduit un reporter chez Marsden (« Les cafards se faufilent partout », a dit maman), à moins qu'ils aient eu des photos de la résidence dans leurs archives. DANS LA MAISON DE L'HORREUR DE DONNIE BIGS, disait le gros titre. Maman a bien ri, déclarant que le *Post* était aussi peu doué en grammaire qu'en analyse politique.

– Deux compléments de nom qui se suivent, ça ne sonne pas bien, m'a-t-elle expliqué. À la rigueur, ils auraient pu écrire « la maison *des* horreurs de Donnie Bigs ».

Comme tu veux, maman, si ça te fait plaisir...

68

Assez rapidement, d'autres nouvelles ont chassé la Maison de l'Horreur de la une des quotidiens, et ma notoriété n'a pas tardé à décliner. Les gens oublient à une vitesse folle, comme Liz l'avait observé à propos de Chet Atkins. Avec les filles, je me suis retrouvé à la case départ : elles avaient cessé de venir m'aborder devant mon casier avec une moue enjôleuse, tartinées de rimmel et de rouge à lèvres. J'ai continué à jouer au tennis, et j'ai passé une audition pour la pièce de théâtre du collège. Le rôle que j'ai décroché se limitait à deux ou trois répliques, mais j'y ai mis tout mon cœur. Je jouais aussi aux jeux vidéo avec mes copains, et j'allais au cinéma avec Mary Lou Stein. Un jour je l'ai embrassée, et le plus beau, c'est qu'elle m'a rendu mon baiser.

Et voilà, envoyez la suite. Les années se succèdent, on est en 2016, puis en 2017. Si on était dans un film, on verrait s'envoler les feuillets du calendrier. Il m'arrivait encore de rêver que je marchais sur la route de campagne et de me réveiller les deux mains sur la bouche, en me demandant *Est-ce que j'ai sifflé ? Mon Dieu, est-ce que j'ai sifflé ?* Petit à petit, les rêves se sont espacés. Et si je voyais encore des morts, la chose était relativement rare et ils ne me faisaient jamais peur. Le jour où ma mère a voulu savoir si j'en voyais toujours, je lui ai affirmé que c'était exceptionnel, persuadé que ça la réconforterait. J'y tenais énormément, parce que maman avait souffert, elle aussi, je le comprenais bien.

– C'est peut-être en train de passer, a-t-elle hasardé.

– Oui, c'est possible.

Nous voici maintenant en 2018. Notre héros, Jamie Conklin, a dépassé le mètre quatre-vingts et il peut se laisser pousser un bouc (au grand dam de sa mère) ; il a été admis à la fac de Princeton, et bientôt, il aura le droit de vote. En fait, mes dix-huit ans tombaient assez tôt pour que je puisse voter en novembre, aux élections présidentielles.

J'étais dans ma chambre, en train de potasser mes partiels de fin d'année, quand mon téléphone a sonné. C'était maman, qui m'appelait encore depuis un Uber. Mais cette fois, elle se rendait à Tenafly, où mon oncle Harry résidait à cette époque.

– Encore une pneumonie, m'a-t-elle annoncé. Mais là, je crois qu'il ne va pas s'en tirer, Jamie. Ils m'ont demandé de venir, ce qui signifie que c'est extrêmement grave. (Elle a ajouté après une hésitation :) Mortel.

– Je te rejoins dès que possible, alors.

– Tu n'es pas obligé, tu sais.

J'ai décodé le sous-entendu : je n'avais jamais vraiment connu mon oncle, ou du moins, je n'avais pas connu le type brillant qui leur avait taillé une place dans l'univers sans pitié de l'édition new-yorkaise. Et ce milieu ne faisait pas de cadeaux, je m'en rendais compte depuis que je travaillais pour l'agence quelques heures par semaine, même si je faisais surtout du classement. Maman avait raison, je ne gardais que des souvenirs assez flous de ce type brillant qui avait décliné trop tôt, et c'était un autre que j'allais voir aujourd'hui.

– Je vais prendre le bus.

Ce n'était pas un problème : on avait souvent circulé en bus pour se rendre dans le New Jersey, pendant la période où les Uber et les Lyft dépassaient nos moyens.

– Mais tu as tes examens… il faut que tu révises avant tes partiels…

– Ce qui est magique avec les livres, c'est qu'on peut les emporter partout avec soi. J'ai lu ça quelque part. Je vais prendre les miens, et on se retrouve là-bas.

– Tu es sûr ? On sera peut-être obligés de dormir sur place.

J'ai confirmé que j'arrivais.

J'ignore où je me trouvais exactement à l'instant où mon oncle est mort. Déjà dans le New Jersey, peut-être, ou encore en train de traverser l'Hudson. Ou bien à proximité du Yankee Stadium, que j'apercevais derrière la vitre du bus barbouillée de fientes d'oiseaux. Tout ce que je sais, c'est que j'ai trouvé maman sur un banc à l'ombre d'un grand arbre, devant le dernier centre de soins de mon oncle. Elle ne pleurait pas, mais elle fumait une cigarette alors qu'elle en avait perdu l'habitude. Elle m'a pris dans ses bras, et moi aussi je l'ai serrée très fort. J'ai respiré les notes douces de son parfum de toujours, La vie est belle, qui me ramenait systématiquement à mes années d'enfance. Au petit garçon qui avait cru pondre un chef-d'œuvre en dessinant une dinde verte. Je n'ai pas eu besoin de la questionner.

– Moins de dix minutes avant mon arrivée, m'a-t-elle dit.

– Et toi, comment tu vas ?

– Ça va. Je me sens triste, mais je suis soulagée que ce soit enfin terminé. La plupart des gens qui souffrent de cette maladie ne tiennent pas aussi longtemps. Tu sais à quoi je pensais, en t'attendant ? À ce jeu qu'on appelait *three flies, six grounders*. Tu connais ?

– Oui, je crois. C'est une sorte de baseball simplifié ?

– Oui. Comme j'étais une fille, les autres garçons ne voulaient pas que je participe. Mais Harry répondait qu'il ne jouerait pas si je ne jouais pas aussi. Et c'était quelqu'un de populaire, tout le monde l'adorait. Du coup, j'étais la seule fille de l'équipe.

– Et tu étais forte ?

– Sensationnelle, a dit maman en riant. (Finalement, elle a essuyé une larme.) Écoute, il faut que j'aille parler à Mrs Ackerman, la directrice, et que je signe quelques papiers. Ensuite, je passerai dans sa chambre, au cas où il y aurait des affaires à emporter d'urgence. Mais ça m'étonnerait.

J'ai senti une bouffée d'angoisse.

– Il n'est plus...

– Mais non, mon chéri. Ils ont une chambre funéraire sur place. Demain, je prendrai des dispositions pour que son corps soit transporté à New York, et pour... Enfin, tu m'as comprise... Jamie ?

Je l'ai regardée sans rien dire.

– Tu ne... tu ne le vois pas, si ?

– Non, mama, lui ai-je affirmé en souriant.

Ma mère m'a pincé le menton.

– Qu'est-ce que c'est que ce nom ? Je t'ai dit cent fois de ne pas m'appeler « mama ».

– Ouais, ouais, je sais. On dirait un agneau qui bêle, c'est ça ?

Elle s'est mise à rire, puis elle s'est levée.

– Je reviens très vite, mon chéri, attends-moi.

Quand elle est entrée dans le bâtiment, je me suis tourné vers oncle Harry, qui ne se tenait qu'à trois mètres de moi. Il était là depuis le début, vêtu du pyjama qu'il portait au moment de sa mort.

– Salut, oncle Harry.

Il n'a pas répondu, mais son regard était fixé sur moi.

– Tu as toujours ton Alzheimer ?

– Non.

– Donc, tu vas bien, maintenant ?

Une petite lueur amusée est apparue dans ses yeux.

– On peut dire ça, si la mort ne contredit pas ta conception du « bien aller ».

– Tu vas lui manquer, oncle Harry.

Silence. Je n'avais pas posé de questions, il n'avait donc aucune raison de parler. Cependant, j'avais quelque chose à lui demander. Il était peu probable qu'il connaisse la réponse, mais il paraît que ça ne coûte rien d'essayer.

– Tu sais qui est mon père ?

– Oui.

– Qui c'est, alors ?

– C'est moi.

69

Me voilà quasiment à la fin – et dire qu'à une époque, je trouvais que trente pages, c'était beaucoup ! Surtout restez avec moi, j'ai encore une chose à vous raconter.

Mes grands-parents (je n'en ai que deux au lieu de quatre, en définitive) ont trouvé la mort en se rendant à une soirée de Noël. Un fêtard qui avait trop de verres dans le nez s'est déporté sur la quatre-voies et les a percutés de plein fouet. Le pochard s'en est sorti, comme ça se produit souvent. Mon oncle – qui est aussi mon père – se trouvait à New York lorsqu'il a appris la nouvelle, en train de faire la tournée des soirées de Noël pour copiner avec les auteurs et les gens de l'édition. L'oncle Harry (mon cher vieux papa) venait tout juste de créer son agence, et il ressemblait un peu au promeneur perdu en pleine forêt, qui nourrit son maigre feu de brindilles en espérant obtenir une belle flambée.

Il est revenu pour les obsèques dans leur petite ville de l'Illinois, Arcola. Après la cérémonie, une réception a eu lieu chez les Conklin. Lester et Norma étaient des gens très appréciés, et beaucoup de gens sont venus. Certains ont apporté à manger, d'autres sont arrivés avec de l'alcool, parrain bien connu de nombreux bébés-surprises. Tia Conklin, qui venait de finir ses études et occupait son premier poste dans un cabinet comptable, a un peu forcé sur la boisson. Même chose pour son frère. Vous devinez la suite ?

Les invités sont repartis, et mon oncle trouve sa sœur allongée sur son lit en nuisette, pleurant toutes les larmes de son corps. Alors, il se couche auprès d'elle et la serre dans ses bras. Un geste de réconfort, au départ, mais un geste en amène un autre. Ça ne s'est jamais reproduit, mais il suffit d'une fois. Six semaines plus tard, Harry, qui est retourné à New York dans l'intervalle, reçoit un coup de téléphone. Et peu de temps après, ma mère, enceinte, intègre l'agence.

Face à une concurrence aussi rude, l'Agence Littéraire Conklin aurait-elle pu décoller sans la contribution de Tia ? Ou le petit feu de mon oncle et père se serait-il éteint avant qu'il ait eu l'occasion de le nourrir, ne laissant derrière lui qu'un mince filet de fumée pâle ? Difficile de juger. Au moment où l'affaire a pris son essor, je gazouillais dans mon berceau en mouillant mes Pampers. Toujours est-il que ma mère avait du talent, c'est une certitude. Dans le cas contraire, l'agence aurait coulé plus tard, quand les marchés financiers se sont effondrés.

Vous savez, on entend circuler des tas de conneries sur les enfants nés d'un inceste, tout spécialement quand il s'agit d'une relation père-fille ou frère-sœur. J'admets que des problèmes médicaux peuvent surgir, et que les risques sont un peu plus élevés dans ces cas de figure, mais prétendre que la plupart de ces enfants sont attardés ou qu'ils naissent avec un pied bot ou un œil en moins, c'est n'importe quoi.

J'ai découvert que, parmi les bébés nés d'un inceste, l'anomalie la plus fréquente était la fusion des orteils et des doigts. Et je garde, en effet, des cicatrices à la main gauche, entre l'index et le majeur, suite à une opération que j'ai subie tout petit. La première fois que j'ai interrogé maman sur leur origine, vers l'âge de quatre ou cinq ans, elle m'a expliqué que les médecins étaient intervenus avant notre sortie de la maternité. « Trop facile », a-t-elle ajouté.

Et bien sûr, il y a cette chose énorme qui me suit depuis ma naissance. S'est-elle produite parce qu'un frère et une sœur, égarés par le chagrin et l'alcool, ont connu un soir une intimité qu'ils n'auraient jamais dû connaître ? Je n'en sais rien, il se peut que ma faculté de voir les morts n'ait aucun lien avec cet événement. Après tout, des gens qui chantent comme des casseroles fabriquent parfois des musiciens virtuoses, et il arrive que des illettrés donnent naissance à de prodigieux écrivains. Dans certains cas, on dirait que le talent surgit de nulle part.

Encore une petite minute – il faut que je vous fasse un aveu.

Cette partie de l'histoire est une pure invention.

En vérité, j'ignore dans quelles circonstances Tia et Henry sont devenus les parents d'un vigoureux bébé nommé James Lee Conklin. Concernant les détails, je n'ai rien demandé à mon oncle. Il m'aurait répondu – les morts ne peuvent pas mentir, je crois qu'on s'est compris là-dessus –, mais je n'ai pas eu envie de savoir. Dès qu'il a eu prononcé cette petite phrase (« C'est moi. »), je me suis éloigné pour rejoindre ma mère à l'intérieur. Il ne m'a pas suivi, et je ne l'ai plus jamais revu. J'ai pensé qu'il se montrerait peut-être à la cérémonie des obsèques, ou qu'il serait là au moment de l'inhumation, mais je ne l'ai vu nulle part.

Sur le chemin du retour (en bus, comme au bon vieux temps), maman m'a demandé s'il y avait un problème. Je lui ai assuré que non, que je devais simplement me faire à l'idée qu'oncle Harry était parti pour toujours.

– C'est comme de perdre ses dents de lait. Ça laisse un vide en moi, et je ne peux pas m'empêcher d'y revenir sans arrêt.

– Je comprends, a dit ma mère en me serrant contre elle. Je ressens la même chose que toi. Mais finalement, je ne suis pas triste, et ça ne me surprend pas. Tu vois, il y a déjà bien longtemps qu'il était parti.

Ça m'a fait du bien qu'elle me prenne dans ses bras. J'aimais ma mère et je l'aime toujours, mais ce jour-là, je lui ai menti, et c'était bien plus qu'un mensonge par omission. L'image des dents de lait n'avait rien à voir avec la réalité : après ce que je venais d'apprendre, j'avais plutôt l'impression d'avoir une dent supplémentaire, beaucoup trop grosse pour ma bouche.

Malgré tout, plusieurs éléments donnent une certaine vraisemblance à l'histoire que je vous ai racontée. Lester et Norma Conklin ont bien été tués par un conducteur ivre en se rendant à une fête de Noël. Et mon oncle est rentré dans l'Illinois pour leurs obsèques. D'après un article paru dans le *Herald Record* d'Arcola, c'est lui qui a prononcé l'éloge funèbre pendant la cérémonie. Quant à ma mère, elle a effectivement quitté son emploi au début de l'année suivante pour travailler aux côtés de son frère dans l'agence qu'il venait de créer. Et pour finir,

James Lee Conklin a bel et bien fait son entrée dans le monde neuf mois après l'enterrement, à l'hôpital de Lennox Hill.

Alors, oui, il se peut que les choses se soient déroulées comme je les ai décrites. Ça paraît assez cohérent. Il existe cependant d'autres possibilités, qui me plaisent nettement moins. Le viol d'une jeune femme abrutie d'alcool, par exemple, commis par un frère aîné ivre et émoustillé. Je n'ai pas posé de questions, et la raison en est très simple : je n'avais pas envie de savoir. Est-ce que je me demande pourquoi ils n'ont pas envisagé l'avortement ? Oui, ça m'arrive. Est-ce que je redoute d'avoir hérité de mon oncle et père autre chose que mes fossettes au menton et l'apparition de mes premiers cheveux blancs à l'âge précoce de vingt-deux ans ? Pour dire les choses plus clairement, ai-je peur de commencer à perdre la tête beaucoup trop tôt, à trente, trente-cinq ou quarante ans ? Bien sûr que oui. D'après les informations que j'ai recueillies sur Internet, mon oncle souffrait d'une forme héréditaire de la maladie d'Alzheimer. Elle s'embusque sur les gènes PSEN1 et PSEN2, et il est possible d'effectuer un test de dépistage. On crache dans un tube et on attend le résultat. Un jour, je me déciderai à le faire, probablement.

Mais je garde ça pour après.

Tenez, j'ai remarqué quelque chose d'étonnant. En relisant ces pages, j'ai constaté que ma façon d'écrire s'était améliorée à mesure que j'avançais. Je suis très, très loin de Faulkner ou d'Updike, entendons-nous bien, mais je m'aperçois que j'ai progressé en pratiquant, ce qui se vérifie sans doute dans tous les domaines. J'espère avoir acquis d'autres qualités avec le temps, pour le jour où je devrai affronter la chose qui s'est emparée de Therriault. Parce que ce jour viendra, je le sais. Elle n'a pas reparu depuis cette fameuse nuit dans la maison de Marsden, quand Liz Dutton est devenue folle après avoir vu je ne sais quoi. Mais elle attend son heure, je le sens. Je peux même dire que je le sais, quoique j'ignore ce qu'elle est.

Peu importe. Je refuse de me demander chaque jour de ma vie si je vais perdre la tête vers la quarantaine ; et il n'est pas question que l'ombre de cette chose plane constamment au-dessus de moi. Elle a déjà assombri trop de journées de ma vie. Être le fruit d'une relation incestueuse me paraît bien négligeable quand je songe à la carcasse noircie de Therriault, à la lumière-morte qui filtre par les craquelures de sa peau.

Je me suis sérieusement renseigné depuis le jour où cette chose a réclamé une revanche, un deuxième rituel de Chüd, et je suis tombé sur une foule d'étranges superstitions et de légendes insolites qui n'ont jamais trouvé leur place dans la Saga de Roanoke ou dans le *Dracula* de Stoker. Et si j'ai rencontré de nombreux cas de possession d'un vivant par un démon, je n'ai toujours pas connaissance d'une créature capable de posséder les morts. Le phénomène le plus proche concerne les fantômes malveillants, ce qui est foncièrement différent. Conclusion, j'ignore totalement à quoi j'ai affaire. Je sais seulement que je devrai m'y confronter. Je sifflerai, la chose viendra à moi, et nous nous accrocherons l'un à l'autre au lieu de nous mordre la langue. Et ensuite, on verra bien, forcément…

Oui, on verra bien.

Mais ça, c'est aussi pour après.

OUVRAGES DE STEPHEN KING

Aux Éditions Albin Michel

CUJO
CHRISTINE
CHARLIE
SIMETIERRE
L'ANNÉE DU LOUP-GAROU
UN ÉLÈVE DOUÉ – DIFFÉRENTES SAISONS
BRUME
ÇA (deux volumes)
MISERY
LES TOMMYKNOCKERS
LA PART DES TÉNÈBRES
MINUIT 2
MINUIT 4
BAZAAR
JESSIE
DOLORES CLAIBORNE
CARRIE
RÊVES ET CAUCHEMARS
INSOMNIE
LES YEUX DU DRAGON
DÉSOLATION
ROSE MADDER
LA TEMPÊTE DU SIÈCLE
SAC D'OS
LA PETITE FILLE QUI AIMAIT TOM GORDON
CŒURS PERDUS EN ATLANTIDE
ÉCRITURE
DREAMCATCHER

TOUT EST FATAL
ROADMASTER
CELLULAIRE
HISTOIRE DE LISEY
DUMA KEY
JUSTE AVANT LE CRÉPUSCULE
DÔME, tomes 1 et 2
NUIT NOIRE, ÉTOILES MORTES
22/11/63
DOCTEUR SLEEP
JOYLAND
MR MERCEDES
REVIVAL
CARNETS NOIRS
LE BAZAR DES MAUVAIS RÊVES
FIN DE RONDE
SLEEPING BEAUTIES
ANATOMIE DE L'HORREUR
L'OUTSIDER
L'INSTITUT
SI ÇA SAIGNE

SOUS LE NOM DE RICHARD BACHMAN

LA PEAU SUR LES OS
CHANTIER
RUNNING MAN
MARCHE OU CRÈVE
RAGE
LES RÉGULATEURS
BLAZE

Composition : Nord Compo
Impression en octobre 2021
Éditions Albin Michel
22, rue Huyghens, 75014 Paris
www.albin-michel.fr
ISBN : 978-2-226-45976-3
N° d'édition : 24381/01
Dépôt légal : novembre 2021
Imprimé chez Marquis Imprimeur inc.